L'ENTRETIEN DE RECHERCHE QUALITATIF

PRESSES DE L'UNIVERSITÉ DU QUÉBEC
2875, boul. Laurier, Sainte-Foy (Québec) G1V 2M3
Téléphone : (418) 657-4399
Télécopieur : (418) 657-2096
Catalogue sur Internet : http://www.uquebec.ca/puq

Distribution :

DISTRIBUTION DE LIVRES UNIVERS S.E.N.C.
845, rue Marie-Victorin, Saint-Nicolas (Québec) G7A 3S8
Téléphone : (418) 831-7474 / 1-800-859-7474
Télécopieur : (418) 831-4021

L'ENTRETIEN DE RECHERCHE QUALITATIF

GÉRALD BOUTIN

1997

Presses de l'Université du Québec
2875, boul. Laurier, Sainte-Foy (Québec) G1V 2M3

Données de catalogage avant publication (Canada)

Boutin, Gérald.

L'entretien de recherche qualitatif

Comprend des réf. bibliogr.

ISBN 2-7605-0817-X

1. Entrevues (Sociologie). 2. Sciences humaines – Méthodes qualitatives. 3. Enquêtes sociales. 4. Counseling . I Titre.

H61.28.B68 1997 300'.7'23 C97-940782-6

Les Presses de l'Université du Québec remercient le Conseil des arts du Canada et le Programme d'aide au développement de l'industrie de l'édition du Patrimoine canadien pour l'aide accordée à leur programme de publication.

Révision linguistique : LE GRAPHE ENR.

Mise en pages : TYPOLITHO INC.

Conception graphique de la couverture : PATRICK DESCHAMPS

1 2 **3** 4 5 6 7 8 9 PUQ 1997 9 8 7 6 5 4 3 2 **1**

Dépôt légal – 3e trimestre 1997
Bibliothèque nationale du Québec / Bibliothèque nationale du Canada
Imprimé au Canada

Remerciements

Cet ouvrage n'aurait sans doute jamais vu le jour sans la contribution et l'encouragement de nombreuses personnes. Ma gratitude va d'abord à Marine de Fréminville, qui a lu et commenté ce texte à plusieurs reprises, à Tanguy Boutin, qui a eu la gentillesse d'en dactylographier la première mouture, à mes étudiants inscrits à la maîtrise ou au doctorat, en particulier Anne-Marie Lamarre, Daniel Martin et Johane Garneau, qui ont eu l'amabilité de me suggérer diverses mises au point afin de rendre cet ouvrage plus accessible à la clientèle qu'il vise avant tout, les étudiants des 2e et 3e cycles en sciences humaines et psychosociales. J'aimerais également souligner la collaboration indéfectible de Paul Lavoie, bibliothécaire en sciences de l'éducation, et de Marlaine Grenier, responsable de la mise en forme des documents de recherche au département des sciences de l'éducation à l'Université du Québec à Montréal.

Table des matières

Introduction

Au cours des dernières années, les chercheurs dans le domaine des sciences psychosociales et pédagogiques ont manifesté un intérêt croissant à l'endroit des techniques issues de l'anthropologie et de l'ethnographie. De toutes ces techniques, l'entretien est certainement la plus utilisée aujourd'hui. Il n'est donc pas étonnant que la plupart des auteurs d'ouvrages de méthodologie lui accordent de plus en plus d'importance. L'entretien représente en effet, sous sa forme élaborée, « la méthode la plus efficace de l'arsenal qualitatif », pour reprendre le mot de McCracken (1988, p. 9). À la suite d'une enquête sur la question, Briggs (1986) estime que 90 % de toutes les investigations en sciences sociales l'utilisent comme instrument principal. Vermersch (1994), de son côté, souligne la nécessité de former les intervenants et les chercheurs à l'usage de l'entretien d'une façon plus approfondie que celle habituellement utilisée.

Ce type d'instrument, comme du reste toute autre modalité d'enquête, repose sur des présupposés épistémologiques dont nous parlerons dès le premier chapitre. En outre, la désignation même d'« entretien de recherche » recouvre parfois des réalités passablement différentes qui vont de l'entretien à questions fermées à l'entretien de style non directif, au cours duquel le sujet est invité à donner libre cours à ses idées.

En revanche, en dépit de la popularité croissante de ce mode d'investigation en recherche qualitative et quantitative, la formation des futurs chercheurs sur ce point laisse plutôt à désirer : elle comporte effectivement peu d'expériences pratiques ou d'entraînement aux méthodes relatives à cette modalité d'investigation que, pourtant, plusieurs d'entre eux utilisent. Il n'est donc pas étonnant qu'un certain nombre d'ouvrages à visée pédagogique, ceux de Pauzé (1984) et de Mishler (1986) par exemple, aient vu le jour au tournant des années 1980.

Encore aujourd'hui, tout se passe comme si l'usage de l'entretien allait de soi et qu'il était possible d'interviewer des « sujets de recherche » sans autre préparation que sa bonne volonté. Les étudiants ou les apprentis chercheurs, comme le note Daunais (1984, p. 251), ont tendance à croire que l'entretien permet, du fait de son usage, de répondre adéquatement aux questions les plus complexes relatives au problème à l'étude. Or, comme on peut facilement l'imaginer, ce n'est pas le cas : l'entretien de recherche exige une préparation soignée qui, seule, permet d'effectuer un travail valable sur le plan méthodologique aussi bien qu'éthique. Bon nombre d'étudiants qui poursuivent des études de 2e et de 3e cycle se disent mal préparés à l'utiliser seul ou en triangulation avec d'autres instruments.

Nous voulons par le présent ouvrage contribuer de façon bien modeste à combler cette lacune. Ce livre constitue essentiellement un outil, que nous souhaitons accessible et utile, destiné à l'apprenti chercheur aussi bien qu'au chercheur expérimenté qui serait moins à l'aise dans l'emploi de cette modalité de collecte de données. Nous visons d'y mettre en perspective les caractéristiques de l'*entretien de recherche qualitatif*, qui revêt comme nous venons de le dire plusieurs formes, ainsi que le bien-fondé de son usage dans les domaines qui nous intéressent. En bref, nous tentons par ce livre de répondre à diverses questions que se posent les étudiants universitaires et les chercheurs qui ont choisi d'utiliser ce type d'instrument.

Mais d'abord, pourquoi choisir l'entretien comme méthode de recherche ? La réponse à cette question est multiple. Il faut dire que, souvent, c'est la méthode qui s'impose pour une foule de raisons d'ordre technique et méthodologique. Il s'agit, selon Daunais (1984, p. 250), de « la méthode la plus efficace et la plus économique pour obtenir l'information désirée sur un sujet donné ». Bogdan et Taylor

(1975) suggèrent de recourir à ce moyen chaque fois qu'un autre procédé d'observation est impossible, ou n'assure pas de façon aussi adéquate la collecte des données nécessaires. Dans des champs d'investigation encore peu explorés ou encore vierges, l'entretien de recherche représente souvent le seul mode d'accès valable. Il permet, pour ainsi dire, de débroussailler le terrain, de dégager des pistes de recherche, de clarifier des problématiques et, enfin, de poser certains problèmes dans toute leur complexité.

Par ailleurs, il faut bien reconnaître que les modalités de questionnement, quelles que soient leurs spécificités, sont reliées de façon étroite aux buts poursuivis par les chercheurs. Comme l'écrit fort justement Grawitz (1986, paragraphe 498), « Ce qui fixe le choix de la technique, c'est avant tout l'objectif de la recherche ». À cet égard, les distinctions qu'avancent Blanchet et Gotman (1992, p. 31), à savoir qu'« on peut distinguer : les travaux centrés sur les représentations; ceux qui concernent à la fois les représentations et les pratiques; enfin, ceux qui se focalisent sur les seules pratiques », sont éclairantes.

Il serait illusoire de vouloir traiter de tous les modes d'entretien de recherche de façon approfondie. Nous avons choisi, pour notre part, de mettre l'accent sur l'entretien de recherche de type qualitatif, souvent désigné sous les appellations d'entretien semi-structuré ou non directif, d'entretien ethnographique, mis en valeur notamment par les travaux de Spradley (1979), ou encore d'entretien en profondeur (*depth interview*), tout en ne négligeant pas l'apport de l'entretien dit structuré ou à questions fermées qui demeure un mode d'investigation encore très courant dans le domaine des sciences sociales, pédagogiques et psychologiques. Ce choix s'explique du fait que l'entretien de recherche courant, souvent dit standardisé, tient davantage du questionnaire de recherche administré en face à face[1] que de l'entretien comme tel. L'entretien de type qualitatif diffère sous plusieurs aspects, non seulement des entretiens dits standardisés, mais également des autres types d'entretien (clinique, thérapeutique et autres) en ce sens qu'il est d'abord axé sur la collecte de données, non pas dans le but de guérir, d'aider ou de généraliser des résultats, mais

1. Cette expression désigne la situation dans laquelle l'intervieweur pose des questions en direct au sujet. La distinction est parfois mince entre ce mode d'investigation et le questionnaire expédié par la poste ou auquel on répond au cours d'une conversation téléphonique.

plutôt de mieux comprendre et interpréter la façon dont les personnes, dans un environnement social particulier, construisent le monde qui les entoure.

D'entrée de jeu, il nous paraît utile que le futur chercheur saisisse la place qu'occupe cette méthode d'investigation parmi les diverses approches actuelles. Il doit également être en mesure de juger de sa pertinence, de ses possibilités et de ses limites. À cet effet, une étude attentive des différences et des ressemblances entre l'entretien de recherche et les techniques qui s'en rapprochent constitue un moyen privilégié de comprendre la spécificité de ce type de collecte de données.

Mais ce seul bagage théorique ne saurait suffire. L'entretien, comme toutes les autres méthodes de recherche, répond à un certain nombre d'exigences qui font de plus en plus l'unanimité parmi les chercheurs. Ainsi, il va de soi que tout intervieweur doit tendre à développer des qualités fondamentales tant sur le plan humain que technique qui sous-tendent pour ainsi dire sa capacité d'interroger. Cela ne se fait pas du jour au lendemain. Tout intervenant social, qu'il soit éducateur, psychologue ou travailleur social, acquiert, de façon plus ou moins consciente, divers niveaux d'habiletés dans l'art d'interroger les personnes qui lui sont confiées ou dont il veut obtenir des renseignements sur un sujet donné. Il lui appartient de développer au maximum l'art de la communication (voir chapitre 3). La plupart du temps, ceux qui utilisent pour la première fois cet instrument de recherche désirent une liste de règles à suivre, des recettes éprouvées en quelque sorte. Or, on le comprend facilement, il est impossible de prescrire un ensemble de moyens *infaillibles* destinés à assurer la bonne conduite de tout entretien de recherche, ou même de quelque type d'entretien que ce soit. Cette activité prend place entre deux êtres humains qui sont trop différents pour qu'on la réduise à une formule passe-partout.

Les domaines d'application de l'entretien de recherche sont innombrables, comme le soulignent Blanchet et Gotman (1992) ainsi que Pourtois et Desmet (1988). On retrouve l'enquête par entretien en psychologie appliquée, en éducation, dans la plupart des domaines de la sociologie : travail, famille, culture, etc., soit sous sa forme individuelle, soit sous sa forme d'entretiens de groupe.

Ce mode d'investigation possède des caractéristiques qui lui sont propres et il suppose un engagement de celui qui y recourt. Pour reprendre un mot de Daunais (1984, p. 251), « décider de faire usage de l'entretien, c'est de façon primordiale choisir d'entrer en contact direct avec des sujets pour obtenir des données de recherche [de première main] ». C'est considérer qu'il est plus pertinent de s'adresser aux individus eux-mêmes que d'observer leur conduite et leur rendement dans certaines tâches ou d'obtenir une autoévaluation à l'aide de divers questionnaires. C'est également privilégier le médium de la relation interpersonnelle, qui se révèle indispensable pour accéder à certaines connaissances dont l'intérêt est manifeste aux yeux du chercheur. On pourrait citer les noms de nombreux innovateurs dont les travaux n'auraient sans doute pas vu le jour sans le recours à cette démarche. Piaget (1979), par exemple, dont nous décrirons la méthode au chapitre 2, a eu recours à ce procédé dans ses premiers travaux sur le développement de la pensée chez l'enfant. Dans le domaine de la psychothérapie, Carl Rogers (1951) a sans doute été le premier à utiliser l'entretien thérapeutique à des fins de recherche.

Le choix de l'entretien de recherche dépend largement du thème et des objectifs de la recherche envisagée, des caractéristiques des sujets, des conditions matérielles de l'expérimentation, du nombre de personnes à interviewer et de leur disponibilité. En plus de la prise en considération de ces divers facteurs, le chercheur doit s'interroger sur sa propre capacité à entrer en contact avec les sujets de sa recherche, sur sa formation dans le domaine de la communication, sur le temps dont il dispose et, bien évidemment, sur la pertinence de l'usage de ce mode d'investigation par rapport à d'autres instruments de recherche.

La nature des renseignements que le chercheur veut obtenir revêt également une grande importance en ce qui concerne le choix de cette approche. S'agit-il de faits, d'opinions, de croyances, d'états affectifs ? Il importe de préciser le plus tôt possible le type d'interaction qu'il est préférable de poursuivre avec les sujets de recherche. La façon dont ces données sont recueillies exerce un effet considérable sur leur valeur. De là l'importance de préparer adéquatement les personnes qui ont la charge d'effectuer les entretiens de recherche. La plupart du temps, l'intervieweur se retrouve dans une situation d'autoformation, car il faut bien le reconnaître, trop peu de chercheurs se donnent vraiment la peine de former les personnes qu'ils chargent de la prise de données.

Une question se pose encore tant au chercheur qu'à l'apprenti chercheur qui désire utiliser l'entretien de recherche pour la première fois : peut-on prendre appui sur des lignes de conduite valables en ce qui concerne l'usage de l'entretien de recherche ? À cet égard, nous verrons que les suggestions ne manquent pas. La plupart insistent cependant sur la dimension technique au détriment des aspects personnels, mésologiques et éthiques de la situation d'entretien.

Il reste néanmoins qu'au cours des années de nombreuses expériences menées dans le domaine des sciences humaines ont conduit à l'élaboration de plusieurs lignes de conduite concernant l'entretien (voir chapitres 5 et 6). Ces « lignes de conduite », souvent présentées sous forme de conseils, ne sauraient cependant se suffire à elles-mêmes : elles nécessitent une interprétation et une adaptation de la part de l'intervieweur. Rien ne saurait remplacer son jugement dans une situation difficile, car l'entreprise en question se rapproche à maints égards de la résolution de problème.

Quoi qu'il en soit, nous verrons, dans cet ouvrage, que l'entretien de recherche se révèle un outil indispensable pour accéder à des connaissances dont l'intérêt est évident. Pourtant, comme le rappelle Blanchet (1985, p. 2), « rarement technique aussi largement utilisée n'a été si peu définie dans des présupposés, dans son fonctionnement, dans ses effets. L'entretien est un dispositif de recherche dont nous ignorons encore à quel regard et à quel type d'interrogation il soumet la réalité observée. »

La nécessité de mettre l'accent sur les moyens techniques reliés à l'usage de cet instrument de recherche ne fait aujourd'hui plus de doute. Cet usage, on le sait, est assorti d'un ensemble de procédures qui méritent de retenir l'attention du chercheur. En effet, la prise des données, leur transcription, leur analyse et, enfin, leur présentation sous une forme accessible aux lecteurs sont autant d'éléments à étudier et à expérimenter dans des contextes différents.

Dans l'optique des chercheurs qui s'inspirent de l'approche qualitative, l'entretien de recherche exige de préciser les objectifs poursuivis par les personnes en présence. Ainsi, il peut se faire que les objectifs de l'interviewé soient différents ou même contraires à ceux que poursuit le chercheur. Il peut arriver également que l'interviewé « imagine » la demande de l'intervieweur d'une façon différente de ce dernier. La dissymétrie entre ces deux interlocuteurs, l'intervieweur et l'interviewé, a attiré l'attention de nombreux chercheurs, dont Daunais (1984). La clarification des objectifs poursuivis par les personnes en présence constitue donc une condition essentielle de la réussite d'un entretien de recherche.

Mais qu'en est-il de la valeur de l'entretien de recherche sur le plan scientifique ? Cette question a forcément pour corrélat l'idée que l'on se fait de la science elle-même. Nous abordons ce sujet dès le premier chapitre en brossant un tableau des fondements épistémologiques des recherches qualitative et quantitative. Les nouveaux chercheurs, il faut bien le souligner, ne sauraient se tenir à l'écart d'un débat qui, de toute façon, influence la formation qu'ils reçoivent aussi bien que leur pratique actuelle et future.

Cet ouvrage comprend six chapitres dont il convient de donner ici un bref aperçu. Le premier chapitre vise à cerner la place qu'occupe l'entretien eu égard aux principaux paradigmes de la recherche en sciences humaines, alors que le second est consacré aux définitions, typologies, buts et fonctions de ce type d'investigation. Le chapitre trois traite de la communication comme élément de base de l'entretien. Les chapitres quatre et cinq portent, l'un, sur les caractéristiques des clientèles visées et, l'autre, sur la démarche de l'entretien. Enfin, le sixième et dernier chapitre rappelle les indications les plus courantes concernant l'analyse qualitative des résultats d'entretiens et la rédaction du rapport de recherche.

Références bibliographiques

BLANCHET, A. (1985). *L'entretien dans les sciences sociales*, Paris, Bordas-Dunod.

BLANCHET, A. et A. GOTMAN (1992). *L'enquête et ses méthodes : l'entretien*, Paris, Nathan (Nathan-Université).

BOGDAN, R. et S.J. TAYLOR (1975). *Introduction to Qualitative Research Methods : a Phenomenological Approach to the Social Sciences*, New York, Londres, Sydney, Toronto, John Wiley and Sons.

BRIGGS, C. (1986). *Learning How to Ask : A Sociolinguistic Appraisal of the Role of the Interviewer in Social Science Research*, Cambridge, UK, Cambridge University Press.

DAUNAIS, Jean-Paul (1984). « L'entretien non directif », dans B. GAUTHIER (dir.), *Recherche sociale de la problématique à la collecte des données* (chapitre 11, p. 247-275), Québec, Presses de l'Université du Québec.

GRAWITZ, M. (1986). *Méthodes des sciences sociales*, 7e éd., Paris, Dalloz.

MCCRACKEN, G. (1988). *The Long Interview*, Beverley Hills, CA, Sage Publications.

MISHLER, Elliot G. (1986). *Research Interviewing*, Cambridge, MA, Harvard University Press.

PAUZÉ, Élaine (1984). *Techniques d'entretien et d'entrevue*, Montréal, Modulo éditeur.

PIAGET, Jean (1979). *La psychologie de l'intelligence*, Paris, PUF.

POURTOIS, J.P. et H. DESMET (1988). *Épistémologie et instruments en sciences humaines*, Bruxelles, Pierre Mardaga.

ROGERS, C.R. (1951). *Client Centered Therapy*, Boston, Hougton Mifflin.

SPRADLEY, J.P. (1979). *The Ethnographic Interview*, New York, Chicago, Holt, Rinehart and Winston.

VERMERSCH, P. (1994). *L'entretien d'explicitation en formation initiale et en formation continue*, Paris, Les éditions ESF.

Chapitre 1

Les paradigmes de la recherche en sciences humaines : deux traditions épistémologiques

La démarche de recherche ainsi que la façon d'interviewer sont marquées par la perception que les auteurs se font des fondements de la science, de la nature humaine et bien évidemment de la recherche elle-même. Cette problématique renvoie au débat entre les tenants de l'approche quantitative et ceux de l'approche qualitative dont il convient de rappeler ici les principaux aspects. Ainsi, si le chercheur s'inspire d'un paradigme[1] positiviste, il empruntera la façon habituelle de « faire de la recherche » en privilégiant la démarche dite objective. Les éléments constitutifs de cette application la plus rigoureuse possible de la démarche expérimentale classique sont bien connus, à savoir : l'élaboration d'hypothèses, l'expérimentation, l'analyse des données à partir d'un devis préétabli, la validation et la généralisation des résultats obtenus. Le chercheur verra à utiliser des instruments validés, standardisés, tentera d'isoler des catégories parfois même avant même de commencer son étude; il visera également à déterminer très tôt les relations entre ces différentes catégories. Le chercheur en qualitatif, lui, isolera et définira ses catégories en cours de route. Pour le premier, les catégories bien définies sont des moyens

1. Le terme a été rendu populaire par les travaux de T.S. KUHN (1983). Il désigne l'ensemble des valeurs et des techniques reconnues par les membres d'un groupe donné.

de recherche, alors que pour l'autre elles sont des objets de recherche en tant que tels.

En effet, le chercheur qui se réclame d'une philosophie de type qualitatif accorde à la subjectivité une place de choix ou, du moins, il ne tente pas de la nier. Selon ce paradigme, comme le rappelle fort justement Spradley (1979), le chercheur est lui-même un instrument, voire l'instrument privilégié, de la recherche.

Les implications de ces différences de points de vue entre l'approche quantitative et l'approche qualitative méritent plus qu'un moment d'attention. Seule une étude approfondie de ces paramètres, qui sont de plus en plus souvent abordés par les auteurs d'ouvrages portant sur les méthodologies de la recherche scientifique, peut permettre au chercheur de se situer face à ces divers paradigmes. Peut-être sera-t-il mieux en mesure alors d'éviter des attitudes extrêmes et de prendre position par rapport au sujet à l'étude plutôt qu'à partir d'une « idéologie » toute tracée à l'avance. C'est du moins ce que suggère Foddy (1993, p. 12-24), dans un chapitre très percutant sur la question des fondements théoriques de la recherche en sciences humaines.

1.1. Les fondements de la recherche quantitative

Les fondements de la recherche de type quantitatif, dite scientifique ou expérimentale, sont bien connus et se retrouvent souvent explicités au début des ouvrages portant sur la méthodologie de recherche[2]. Le but de l'approche quantitative est d'isoler et de définir les catégories, de manière aussi précise que possible, avant même le début de la recherche, et, ensuite, de déterminer avec une grande précision les relations entre elles. La visée en recherche qualitative consiste à cerner et à définir les catégories au cours du processus de recherche. Le chercheur qui s'inscrit dans ce processus compte, lui, sur la nature et la définition des catégories analytiques pour changer le cours d'un projet (Glaser et Strauss, 1967). En somme, alors que dans le premier champ le fait d'établir des catégories bien définies représente le but de

2. Notamment De Landsheere (1982); Ouellet (1994); Robert (1982).

la recherche, pour l'autre, celui du qualitatif, les catégories constituent l'objet même de la recherche.

À vrai dire, l'approche quantitative s'inspire du paradigme positiviste dont le behaviorisme est l'expression la plus connue et sans doute la plus documentée. Selon ce paradigme, le monde représente une réalité finie, mesurable. La distinction entre l'esprit et la matière est établie comme un préambule à toute démarche de recherche. Cette position, surtout quand elle est poussée à ses extrêmes, est aujourd'hui largement débattue; la critique qu'en font notamment les nouveaux physiciens retient de plus en plus l'attention des chercheurs en sciences humaines. « La foi en la certitude de la connaissance scientifique est à la base même de la philosophie cartésienne et de la vision du monde qui en découla, et c'est ici, dès le départ, que Descartes se fourvoyait », selon le point de vue de Capra (1990, p. 50), dans son ouvrage intitulé *Le temps du changement*. En dépit de cette critique, le même auteur reconnaît que l'approche cartésienne peut être utile dans la mesure où l'on sait en reconnaître les limites.

L'application de la démarche scientifique classique est encore très courante en sciences de l'éducation et dans les autres domaines des sciences psychosociales. En revanche, le courant de l'approche holistique (Ouellet, 1994) qui s'est développé au cours des dernières années remet en question la suprématie du seul modèle expérimental classique sans pour autant en nier l'importance. Ce qui ne signifie toutefois pas que tous les paradoxes dépendent forcément du choix d'une méthode. « Chaque méthode, soutient Van der Maren (1996, p. 81), a ses avantages et ses inconvénients, et le choix de l'une implique souvent de renoncer aux avantages de l'autre », d'où l'importance de bien se documenter afin de procéder à un choix éclairé.

1.2. Les fondements de l'approche qualitative

L'approche qualitative ou interprétative doit beaucoup à la phénoménologie, à l'anthropologie, de même qu'à l'ethnographie. En effet, comme le soulignent fort justement Huberman et Miles (1983), les techniques ethnographiques appartiennent à la tradition développée par les anthropologues et les sociologues dits de terrain. Ces méthodes se sont très tôt révélées utiles et pertinentes dans la collecte de certaines données ou informations qui ne pouvaient pas être obtenues par les méthodes quantitatives même les plus sophistiquées.

La base épistémologique de cette « nouvelle » méthodologie s'appuie sur deux hypothèses, à savoir la perspective naturaliste-écologique et la perspective qualitative-phénoménologique. Ces deux hypothèses, prises dans leur ensemble, se retrouvent à la base même de la recherche de type qualitatif, pour reprendre les mots de Bogdan et Biklen (1982).

1.2.1. La perspective naturaliste-écologique

La plupart des spécialistes des sciences sociales estiment que le comportement humain est influencé de façon significative par le milieu dans lequel il se manifeste. Ils sont alors convaincus que l'étude des phénomènes psychologiques doit s'effectuer en milieu naturel et soutiennent que ces composantes de l'environnement engendrent des « régularités » dans le comportement qui transcendent souvent les différences entre les individus. De nombreuses recherches ont été conduites, surtout en ethnographie, qui ont démontré l'importance de l'influence des composantes environnementales (appelées *settings* en anglais) sur le comportement des sujets soumis à une investigation. On a pu observer également des différences de résultats parfois très grandes selon que le même phénomène était observé en laboratoire ou sur le terrain. De tels constats ont conduit les scientifiques d'inspiration écosystémique à soutenir que, si l'on espère généraliser des résultats de recherche à la vie quotidienne, la recherche doit être conduite sur le terrain. Cette position se retrouve notamment à la base des travaux de Bronfenbrenner (1979).

Cette position, même si elle peut paraître extrême, a tout de même le mérite d'attirer l'attention des chercheurs sur l'importance du contexte dans lequel se déroule l'action ou le phénomène qu'ils étudient. Les psychologues sociaux, pour ne donner qu'un exemple, se rendent compte que leurs expérimentations dénotent des influences autres que celles qui sont relatives aux éléments sur lesquels ils avaient mis l'accent. Ainsi, la personne interviewée peut adopter des attitudes et des comportements qui risquent de nuire à la valeur de l'entretien, si l'on n'y prend garde. Cette personne peut, par exemple : a) entretenir de la suspicion envers la personne qui l'interroge ou envers l'auteur de la recherche; b) se faire une idée préconçue du comportement que l'on attend d'elle; c) établir avec l'interviewer une relation interpersonnelle spéciale qui prend la forme d'une certaine séduction ou encore d'une attitude de défense; d) vouloir « performer » dans le but d'être évaluée de façon positive.

Ces différents facteurs, et bien d'autres sans doute, peuvent contribuer à faire dériver la recherche du but qu'elle poursuit. Effectivement, la personne qui remplit un questionnaire participe à un entretien ou prend part à une expérience, même si elle tente d'être authentique, peut ne pas être en mesure de fournir une information exacte au sujet de son comportement habituel dans des circonstances réelles souvent complexes, en général soumises à un ensemble parfois impressionnant de stimuli qui sont difficilement identifiables même par le sujet concerné. Un domaine dans lequel cette limite apparaît particulièrement comme une source de frustration est bien celui de la recherche sur les attitudes : plusieurs auteurs (Miles et Huberman, 1991; Erickson, 1986) font justement remarquer que la corrélation entre les réponses données au moment du questionnaire ou de l'entretien et les actions observées dans les actions de la vie quotidienne n'est pas toujours satisfaisante. Cet écart apparemment incontournable fait partie des invariants de toute prise de données et préoccupe de plus en plus les chercheurs. Ainsi, la distance entre la représentation que se fait une personne de ses actions et les actions elles-mêmes a été largement étudiée au cours des dernières années (Abric, 1994).

On peut bien sûr réagir différemment à ces commentaires concernant l'artifice et les limites de la recherche. Il existe une panoplie de dispositifs destinés à réduire ces effets, souvent qualifiés de pervers, dans la mesure du possible. La méthode la plus courante pour contrer ces difficultés consiste à étudier le phénomène en milieu naturel, comme le proposait déjà Campbell (1955) il y a fort longtemps. Dans les conditions de l'observation naturelle, le comportement étudié est sujet aux influences du contexte naturel plutôt qu'à celles des contextes de recherche en laboratoire.

Ce point de vue est de plus en plus adopté par un nombre grandissant de chercheurs. Ne s'appuie-t-il pas, au départ, sur l'observation qui fait partie intégrante de la tradition de recherche dans le domaine des sciences naturelles et humaines ? Même si l'approche écologique exige que le comportement soit observé sur le terrain, le reste de la technique classique demeure souvent identique. Même en adoptant une telle démarche, on peut émettre des hypothèses *a priori*, définir des catégories opérationnelles d'observation, élaborer des méthodes objectives de collecte de données et recourir à des analyses statistiques appropriées.

1.2.2. La perspective qualitative-phénoménologique

Les sciences sociales, du moins dans le contexte nord-américain, s'inspirent encore abondamment, comme on vient de le voir, d'un modèle emprunté aux sciences naturelles, notamment en ce qui a trait à la question de l'objectivité. Cette façon de privilégier un seul paradigme a fait que la phénoménologie, dont il faut retracer les origines en Europe, a été largement négligée par les chercheurs en éducation tant aux États-Unis que dans de nombreux autres pays. Sans doute peut-on voir dans cet état de choses un besoin pour les chercheurs en sciences humaines de se rapprocher du modèle expérimental classique afin de s'assurer une plus grande crédibilité, étant entendu que les sciences pures ou exactes ont pris beaucoup de temps pour remettre en cause certains diktats de l'expérimentalisme du XIXe siècle.

Les tenants du courant phénoménologique suggèrent une vision différente de la question de l'objectivité et des méthodes de travail destinées à l'étude du comportement humain. Ils affirment que l'intervenant ou le chercheur dans le domaine des sciences sociales ne peut pas comprendre le comportement humain sans une saisie du cadre de référence selon lequel les sujets interprètent leurs pensées, leurs sentiments et leurs actions. Ils déplorent le fait que l'approche de la science naturelle en ce qui concerne la recherche absolue de l'objectivité exige que le chercheur impose des limites *a priori* sur les données qu'il s'apprête à recueillir. Cette façon d'agir rend difficile, selon eux, la découverte des perspectives des sujets eux-mêmes.

Établie par Husserl (1859-1938), la phénoménologie, rappelons-le, veut saisir la logique des phénomènes subjectifs. Elle résulte de la convergence de deux courants : du courant existentialiste illustré notamment par Brentano (1838-1917), Heidegger (1889-1976) et Sartre (1905-1980) et du courant désigné souvent sous l'appellation d'antiobjectiviste, dont Gaston Bachelard et Merleau-Ponty ont défendu les thèses. Elle poursuit, selon Bullington et Karlson (dans Tesch, 1988,

p. 1), « l'investigation systématique de la subjectivité, en d'autres termes des contenus de la conscience ». Une telle approche, on le voit, met l'accent sur les données expérientielles. « En fait, soulignent de leur côté Pourtois et Desmet (1988, p. 23), il s'agit de comprendre les phénomènes à partir du sens que prennent les choses pour les individus dans le cadre de leur "projet du monde". » Nous ajouterions que cette compréhension s'appuie sur l'image que ces individus se font des personnes et des objets qui les entourent. La phénoménologie représente un effort pour prendre les choses telles qu'elles se présentent à la conscience. Elle décrit le psychisme humain comme étant d'emblée « en rapport au monde ». Il convient, pour reprendre l'expression bien connue de Husserl, « de retourner aux choses mêmes telles qu'elles se manifestent à la conscience de la personne ». Ce courant philosophique[3], dont s'inspire largement la recherche qualitative, connaît actuellement un regain d'intérêt : il représente une réaction parfois exacerbée, selon certains, au courant matérialiste et positiviste dans les sciences psychosociales.

Les retombées de cette position sont très importantes en ce qui concerne la recherche en sciences humaines. La position traditionnelle des chercheurs qui recommandent le recours à la contribution d'un observateur externe et l'usage des procédures habituelles de recherche expérimentale est considérée comme inadéquate si l'on vise à obtenir l'information qui tient compte des perspectives du participant. Plus encore, la coutume qui fait appel à des activités déductives, telle l'élaboration d'hypothèses *a priori* avant même de commencer l'étude d'un phénomène donné, ainsi que l'analyse à partir de cadres prédéterminés sont également considérées comme inappropriées, puisqu'elles réduisent la réalité à une vision préconçue du monde.

Dans la plupart des cas, les chercheurs mettent en place des stratégies qui tendent à minimiser la part de subjectivité, d'aléatoire, lors de la collecte et de l'analyse des données. Ils visent également à standardiser les interprétations qu'eux-mêmes ou que quelqu'un d'autre

---

3. Il existe de nombreux ouvrages sur la phénoménologie. Nous ne donnons ici qu'un bref aperçu d'une approche philosophique très complexe qui exige bien évidemment un approfondissement. Les travaux de Giorgi (1985) et de Gendlin (1973), entre autres, donnent un bon aperçu des applications possibles de cette approche dans le domaine de la psychothérapie et de la recherche en sciences humaines.

ont accordées aux données perçues par leurs sens, notamment en ce qui concerne l'observation d'un phénomène ciblé au préalable, comme le comportement en classe ou dans un autre contexte où les interactions sont nombreuses. Cette façon de faire ne répond pas aux attentes de plusieurs phénoménologues qui soutiennent que l'adoption d'une telle démarche pour interpréter et coder un comportement est arbitraire. Selon les tenants de l'approche qualitative, n'importe quel système de sens peut être sélectionné. En fait, les cadres de référence les plus significatifs et les plus importants sont ceux des sujets eux-mêmes plutôt que ceux des chercheurs si l'on veut tenir compte des exigences de l'approche phénoménologique.

En bref, les chercheurs qui s'inspirent de la phénoménologie proposent d'abandonner les processus traditionnels déductifs, telles les hypothèses *a priori*, pour comprendre le comportement humain. Glaser et Strauss (1967) faisaient déjà remarquer que les chercheurs quantitatifs, parce qu'ils sont restreints dans leurs propres perspectives, risquent d'accorder trop d'importance à des variables qui ne sont pas pertinentes compte tenu des finalités de leur recherche. Ces deux auteurs ont décrit une méthode grâce à laquelle les chercheurs dans le domaine des sciences sociales peuvent « enraciner » (*to ground*) leur théorie dans la réalité qu'ils ont décidé d'étudier. La théorie « enracinée » ou *grounded theory* constitue l'un des apport les plus significatifs de l'ethnographie à la méthodologie de type qualitatif, comme le soulignent Lessard-Hébert *et al.* (1996).

La démarche que sous-tend cette approche comporte un certain nombre de caractéristiques. Elle est d'abord une invitation au dialogue, elle demande à la personne interrogée de prendre un risque, elle exige de la part de l'intervieweur une mise à l'écart de ses préjugés. Weber (1986, p. 66) résume de façon fort pertinente ce climat de l'entretien de type phénoménologique : « L'entretien connaît ses meilleurs moments quand l'intervieweur et l'interviewé sont tous les deux partie prenante du phénomène soumis à l'exploration. Quand tous les deux souhaitent véritablement comprendre. » Ce climat est bien décrit par Fréminville (1988) qui brosse un tableau très clair du contexte historique dans lequel s'inscrivent les entretiens de recherche vus dans cette perspective : ils se rapprochent alors de l'échange d'expérience, du dialogue, tout en ne négligeant pas la prise de données, qui demeure ici le but essentiel de l'exercice.

1.3. La nécessité d'un positionnement idéologique : un choix difficile

Le chercheur qui décide de recourir à l'usage de l'entretien de recherche pour recueillir des données doit d'abord et avant tout se positionner en ce qui concerne le paradigme idéologique ou philosophique auquel il adhère. S'il se situe dans l'axe positiviste, il fera appel à une démarche qui donne la priorité à la recherche de l'objectivité; s'il opte pour une position phénoménologique, il mettra en perspective la dimension subjective sans pour autant rejeter le souci d'une certaine objectivation, comme le rappelle Maître (1975). Il s'agit de faire montre d'une préoccupation de tous les instants en ce qui concerne la recherche du « sens véritable d'une situation donnée », pour reprendre une expression familière aux phénoménologues. Ici, il ne s'agit pas de procéder à une généralisation (*generalizability*) des résultats obtenus, comme c'est le cas en quantitatif, mais bien d'avoir accès aux catégories culturelles et aux hypothèses à partir desquelles les personnes interviewées se représentent et construisent le monde.

Plusieurs précautions nous apparaissent ici essentielles. Disons d'abord que la simple opposition entre l'approche quantitative et l'approche qualitative se révèle nettement improductive, comme le soutiennent également Miles et Huberman (1991) ainsi que Van der Maren (1996). Loin de les opposer, de nombreux autres chercheurs (Eisner, 1990; Howe, 1988; Patton, 1990) pensent qu'il est de l'intérêt du chercheur de faire appel à une grande variété de méthodes, de procédés et de techniques. Bien sûr, il ne s'agit pas de gommer les différences entre ces deux courants, mais bien de les resituer dans leur contexte respectif.

Cette disposition d'esprit devrait permettre au nouveau chercheur de reconnaître la part de l'une et l'autre façon d'appréhender la science et les méthodes de recherche et d'éviter ainsi, dès le départ, toute ambiguïté en ce qui concerne ses intentions de recherche. Il serait sans doute préférable que s'instaure, comme le suggère Bourdieu (1980), une position dialectique entre ces deux approches. Pour l'heure, le chercheur doit encore se demander dans quel but il procède à la tenue d'entretiens de recherche et accepter d'approfondir ses connaissances en ce qui concerne ce mode d'investigation ainsi que ses avantages et ses limites. Les fondements épistémologiques de ses choix ne sauraient alors lui demeurer étrangers.

Comme on peut facilement l'imaginer, la prise en considération des différences et des rapprochements possibles entre les approches quantitatives et qualitatives a plusieurs conséquences sur la conduite d'un entretien de recherche. Ces deux approches renvoient, comme nous venons de le voir, à des conceptions et à des schèmes théoriques différents. Seule une étude de ces fondements épistémologiques peut permettre au chercheur de comprendre les positions de chaque école de pensée et d'en saisir les avancées et les limites. La comparaison entre le qualitatif et le quantitatif continue de faire l'objet de nombreux débats et prises de position. Certains, comme Poupart *et al.* (1997, p. 325), y voient un faux débat et estiment que « bon nombre des questions de fond en méthodologie sont avant tout d'ordre théorique et épistémologique et que, par conséquent, elles se posent également, quoique différemment, par les deux méthodes ». À cet égard, on parle plutôt de plus en plus de complémentarité et de convergence. Ce qui n'exclut pas, et loin de là, un réexamen des méthodes les plus courantes.

Ainsi, l'examen attentif auquel est soumis l'entretien de recherche « standard » ou classique depuis ces dernières années surtout révèle des limites qui ont suscité les critiques de nombreux auteurs. Mishler (1986), pour sa part, a émis au sujet de l'entretien de recherche des considérations fort enrichissantes que les tenants de l'approche classique ont tendance à oublier ou du moins à négliger. Les entretiens, selon cet auteur, sont des événements langagiers. Le discours des entretiens est construit à la fois par les intervieweurs et par les interviewés. L'analyse et l'interprétation des données se fondent sur une théorie du discours et du sens et, enfin, la signification des questions et des réponses est enracinée dans un contexte dont il faut tenir compte. Une telle approche comporte cependant un certain nombre de limites que Foddy (1993) ne manque pas de souligner : a) la subjectivité de l'intervieweur risque de fausser les résultats; b) cette façon de procéder exige beaucoup de temps, notamment en ce qui concerne la retranscription des données; c) en ne limitant pas suffisamment le sujet à l'étude, on risque de dériver vers des thèmes non appropriés. Comme on peut le constater, le débat entourant cette question est loin d'être clos. D'où l'intérêt, voire la nécessité pour le chercheur de se mettre au courant de cette problématique, de se renseigner sur les diverses modalités d'entretiens et sur les méthodologies auxquelles elles se rattachent. Dans un ouvrage récent, A. Mucchielli (1991, p. 11-12) fait référence à l'abandon du modèle scientifique des sciences physiques et naturelles par bon nombre de chercheurs en sciences humaines qui, écrit-il, « se lancent dans l'implication. On assiste à un retour aux enquêtes participantes, aux récits de vie [...] On admet qu'il vaut mieux "comprendre", en acceptant de rentrer dans la logique propre des acteurs sociaux, en prise avec le phénomène. » Ce changement de paradigme ne se fait pas sans difficulté : il remet en cause nos façons habituelles de procéder lors de la collecte des données. Pour ce qui est de l'entretien de recherche, on peut dire qu'il est le lieu même de la construction de l'objet scientifique, qui est également conquête d'un savoir.

Références bibliographiques

ABRIC, J.C. (1994). *Pratiques sociales et représentations*, Paris, PUF (Collection psychologie sociale).

BOGDAN, R. et S.K. BIKLEN (1982). *Qualitative Research for Education : An Introduction to Theory and Methods*, Boston, Allyn and Bacon.

BOURDIEU, P. (1980). *Le sens pratique*, Paris, Éditions de Minuit.

BRONFENBRENNER, U. (1979). *The Ecology of Human Development : Experiments by Nature and Designs*, Cambridge, Harvard University Press.

CAMPBELL, D.T. (1955). « The Informant in Qualitative Research », *American Journal of Sociology*, vol. 60, n° 4, p. 75-92.

CAPRA, F. (1990). *Le temps du changement*, Paris, Éditions du Rocher.

DE LANDSHEERE, G. (1982). *La recherche expérimentale en éducation*, Paris, Unesco; Lausanne, Delachaux et Niestlé.

EISNER, E. (1990). *Objectivity in Education Research*. Paper Presented at the Annual Meeting of the American Educational Research Association, Boston.

ERICKSON, F. (1986). « Qualitative Methods in Research on Teaching », dans M.C. WITTROCK, *Handbook of Research on Teaching*, New York, Macmillan, p. 119-161.

FODDY, W. (1993). *Constructing Questions for Interviews and Questionnaires*, Cambridge, Cambridge University Press.

FRÉMINVILLE (de), M. (1988). *La psychologie expérientielle selon Gendlin. Bilan et perspective*. Mémoire présenté à la Faculté des études supérieures, Université de Montréal.

GENDLIN, E. (1973). « Experiential Phenomenology », dans N. NATANSON (dir.), *Phenomenology and the Social Sciences*, Evanston, IL, Northwestern University Press, p. 281-319.

GIORGI, A. (1985). *Phenomenology and Psychological Research*, Pittsburg, PA, Duquesne University Press.

GLASER, B.G. et A.L. STRAUSS (1967). *The Discovery of Grounded Theory : Strategies for Qualitative Research*, New York, Aldine.

HOWE, K. (1988). « Against the Quantitative-Qualitative Incompatibility, or Dogmas Die Hard », *Educational Researcher*, vol. 17, nº 8, p. 10-19.

HUBERMAN, M. et M. MILES (1983). *L'analyse des données qualitatives : quelques techniques de réduction et de représentation*, Neuchâtel, I.D.R.P.

KUHN, Thomas S. (1983). *La structure des révolutions scientifiques*, Paris, Flammarion (Champs).

LESSARD-HÉBERT, M., G. GOYETTE et G. BOUTIN (1996). *Recherche qualitative : fondements et pratiques*, 2e éd., Montréal, Éditions Nouvelles.

MAÎTRE, J. (1975). « Sociologie de l'idéologie et entretien non directif », *Revue française de sociologie*, vol. 16, p. 248-256.

MILES, M. et M. HUBERMAN (1991). *Analyse des données qualitatives, recueil de nouvelles méthodes, Pédagogies en développement, Méthodologie de la recherche*, Bruxelles, De Boeck.

MISHLER, E.G. (1986). *Research Interviewing. Context and Narrative*, Cambridge, MA, Harvard University Press.

MUCCHIELLI, A. (1991). *Les méthodes qualitatives*, Paris, PUF.

OUELLET, A. (1994). *Processus de recherche. Une approche systémique*, Sainte-Foy, Presses de l'Université du Québec.

PATTON, M. (1990). *Qualitative Evaluation and Research Methods*, 2e éd., Newbury Park, CA, Sage Publications.

POUPART, J., M. LALONDE et M. JACCOUD (1997). *De l'École de Chicago au postmodernisme : trois quarts de siècle de travaux sur la méthodologie qualitative*, Cap-Rouge, Les Presses InterUniversitaires; Casablanca, Les Éditions 2 Continents.

POURTOIS, J.P. et H. DESMET (1988). *Épistémologie et instrumentation en sciences humaines*, Bruxelles, Pierre Mardaga.

ROBERT, M. (1982). *Fondements et étapes de la recherche scientifique en psychologie*, Montréal, La Chenelière et Stanké; Paris, Maloine.

SPRADLEY, J.P. (1979). *The Ethnographic Interview*, New York, Holt, Rinehart and Winston.

TESCH, R. (1988). *The Contribution of a Qualitative Method; Phenomenological Research*, Santa Barbara, CA, Qualitative Research Management, 12 p.

VAN DER MAREN, J.M. (1996). *Méthodes de recherche pour l'éducation*, Montréal, Presses de l'Université de Montréal (Éducation et formation).

WEBER, S. (1986). « The Nature of Interviewing », *Phenomenology + Pedagogy*, vol. 4, nº 2, p. 65-72.

Chapitre 2

Définitions, typologies, buts et fonctions de l'entretien de recherche

L'entretien[1] de type psychosocial a fait l'objet de nombreuses définitions qui, pour la plupart, mettent l'accent sur la fonction de ce mode d'investigation. Notre intention n'est certes pas de les reprendre toutes ici, mais bien plutôt de cerner la définition de cet instrument sous l'acception d'« entretien de recherche » et en particulier sous l'angle qualitatif. Dans ce dessein, nous passerons d'abord en revue quelques-unes des définitions et des typologies les plus courantes de l'entretien en tant qu'instrument de collecte de données, tout en établissant une comparaison avec d'autres modalités qui s'en rapprochent ou le complètent sous certains aspects. Après avoir souligné les principales fonctions de l'entretien de recherche, nous insisterons ensuite sur l'apport de certaines typologies à la clarification du sujet, pour enfin mettre en perspective les caractéristiques propres de l'entretien de type qualitatif.

1. Certains auteurs hésitent entre l'usage du mot « entrevue » et celui du mot « entretien ». Ce dernier terme semble le plus répandu aujourd'hui dans la francophonie, bien qu'au Québec l'usage du terme « entrevue » semble encore courant. Nous estimons que le terme « entretien » est plus juste quand il s'agit de désigner une activité de collecte de données dans le cadre d'une recherche.

2.1. Définitions de l'entretien de recherche

Le terme «entretien» se prête à de nombreuses définitions qui recouvrent en fait des pratiques différentes. C'est, selon *Le Petit Robert*, «l'action d'échanger des paroles avec une ou plusieurs personnes». Dans le domaine qui nous concerne, celui de la recherche en sciences psychosociales et pédagogiques, nous adoptons la définition de Grawitz (1986, p. 591), à savoir: «L'entretien de recherche est un procédé d'investigation scientifique, utilisant un processus de communication verbale, pour recueillir des informations, en relation avec le but fixé». Cette définition rejoint celle de Cannel *et al.* (1974, p. 385): «L'entretien est une conversation initiée par l'intervieweur dans le but spécifique d'obtenir des informations de recherche pertinentes qui est centrée par le chercheur sur des contenus déterminés par les objectifs de la recherche.» Elle a l'avantage de mettre l'accent sur la spécificité même de l'entretien de recherche, son mode de fonctionnement et sa visée. De plus, cette définition concerne aussi bien l'entretien individuel que l'entretien de groupe.

Pour leur part, bon nombre d'auteurs définissent l'entretien de recherche en insistant également sur ses modalités de fonctionnement. C'est le cas de Legendre (1992, p. 543), qui le définit ainsi: c'est une «méthode de cueillette d'informations dans laquelle l'enquêteur et la personne interrogée sont en entretien de face à face». En revanche, les tenants de l'approche qualitative définissent l'entretien de recherche en mettant l'accent sur la relation entre l'intervieweur et l'interviewé. Ainsi, la façon dont Becker et Geer (1972, p. 133) illustrent cette préoccupation comporte à elle seule les principales caractéristiques de l'entretien qualitatif. Selon eux, dans ce mode d'interrogation «l'intervieweur explore plusieurs facettes des préoccupations de l'interviewé; il traite des sujets au fur et à mesure qu'ils apparaissent dans la conversation, poursuit les pistes qui lui semblent pertinentes, laisse place à l'imagination et à l'ingéniosité et tente d'élaborer de nouvelles hypothèses et de les vérifier en cours d'entretien». On le voit, dans un tel contexte, l'intervieweur joue un rôle actif. Nous reviendrons plus loin sur cet aspect dans le détail (chapitre 5): l'intervieweur ne se contente pas de noter, il interagit avec le répondant de telle sorte que les thèmes abordés en cours d'entretien sont approfondis séance tenante.

À vrai dire, l'entretien, quel que soit son style (directif, non directif ou autre), requiert un art, une technique, une habileté qui peuvent être améliorés et éventuellement perfectionnés grâce à une pratique continue et adéquate. Mais la pratique seule n'est pas suffisante : elle doit s'accompagner d'un savoir « théorique » concernant l'art de l'entretien et d'une étude attentive, réflexive, de sa propre pratique. La connaissance de la théorie qui sous-tend la démarche d'entretien (voir chapitre 1) nous fournit une certaine grille de lecture à la lumière de laquelle il nous est possible d'examiner nos méthodes de travail habituelles et de voir sous quel aspect elles peuvent être améliorées. Dans ce domaine, comme dans bien d'autres, une pratique aveugle ne peut guère être utile; elle risque plutôt d'encourager la répétition des mêmes erreurs.

Comme on peut le voir, il n'existe pas une, mais bien des définitions de l'entretien de recherche. Les auteurs s'entendent pour dire **qu'il s'agit d'une méthode de collecte d'informations qui se situe dans une relation de face à face entre l'intervieweur et l'interviewé et qu'elle revêt effectivement plusieurs formes**. Dans tous les cas, la position épistémologique du chercheur doit être prise en considération : elle préside au but qu'il vise, aux modalités de questionnement et bien entendu à la méthode de traitement des données recueillies. Les distinctions que nous pouvons établir entre les divers types d'entretiens ne doivent pas nous faire oublier que plusieurs de ces types se rapprochent sensiblement les uns des autres.

2.2. Distinctions nécessaires

Bon nombre d'auteurs (Brenner *et al.*, 1985; Cannel, 1974; Mishler, 1986, parmi d'autres) relèvent trois grandes catégories d'entretiens ou d'entrevues dans le domaine psychosocial : a) l'entretien de *diagnostic*, qui vise à recueillir les opinions, les caractéristiques d'un sujet dans le but de mieux le connaître afin d'être en mesure d'intervenir de façon plus efficace auprès de lui; b) l'entretien *thérapeutique* ou de conseil, visant à aider le sujet qui rencontre des difficultés sur le plan affectif ou social; et, enfin, c) l'entretien de *recherche* ou d'*enquête*, destiné à recueillir des données utiles à la bonne conduite de la recherche entreprise. Il n'est pas besoin de rappeler que le présent ouvrage porte en priorité sur ce dernier type d'entretien. Ce qui ne veut pas dire que ce sujet puisse être abordé dans un *vacuum* : l'entretien de recherche s'inspire, si l'on peut dire, de nombreux autres types de questionnement…

À bien des égards, ces divers types d'entretiens possèdent des points communs. Tous, par exemple, exigent l'interrelation entre deux personnes, un objet assigné à la rencontre, des modalités d'échanges plus ou moins codifiées. Malgré ces similarités, il subsiste néanmoins des différences que le chercheur doit connaître, ne serait-ce que pour mieux cibler son intervention et choisir l'instrument, le type d'entretien, le plus adéquat, étant donné ses objectifs de recherche ainsi que les moyens dont il dispose.

En ce qui concerne l'entretien psychosocial considéré dans son acception la plus générale, il existe plusieurs typologies qui s'appuient sur d'autres distinctions et mettent en perspectives des différences reliées soit à la « profondeur » de l'échange, soit au « style » de l'intervieweur, soit à d'autres considérations, dont il convient au moins donner un aperçu.

2.3. Typologies nombreuses et variées

Dans le dessein de clarifier la notion même de l'entretien au sens général du terme, plusieurs typologies ont été élaborées par les méthodologues. Ces typologies sont certes utiles, puisqu'elles permettent de mieux saisir les particularités de ce type d'investigation quand il concerne l'activité de recherche et ce qu'il doit aux autres types d'entretiens ou de questionnements. Elles permettent également au chercheur en formation de se faire une idée des avantages ou des inconvénients reliés à l'une ou à l'autre de ces modalités. Une fois que nous aurons mis en évidence les principales distinctions entre les types d'entretiens les plus courants, nous serons davantage en mesure d'aborder la question de la spécificité de l'entretien de recherche dit qualitatif.

2.3.1. Selon le niveau de latitude et la profondeur de l'échange

La plupart des typologies portant sur l'entretien tiennent compte de deux dimensions : le degré de latitude accordé aux interlocuteurs et la profondeur de l'échange. Pinto et Grawitz (1967), par exemple, recourent à ce type de classement. Ces auteurs établissent une typologie répartie en **six** types d'entretiens :

- l'entretien *clinique* (en usage en psychanalyse, en psychothérapie et en service social);

- l'entretien *en profondeur* (étude de motivations et étude de marché);
- l'entretien *à réponses libres;*
- l'entretien *centré ou à thèmes (focused interview);*
- l'entretien *à questions ouvertes* et, enfin,
- l'entretien *à questions fermées.*

D'autres auteurs suggèrent divers types de classifications plus généraux. Ainsi, Tremblay (1968, p. 321) propose une classification en quatre catégories :

- l'entretien *d'exploration;*
- l'entretien *fondé sur les dires d'un informateur clé,*
- l'entretien *clinique* et, enfin,
- l'entretien *centré.*

2.3.2. Selon le niveau de standardisation

De son côté, Gorden (1987), à l'instar de nombreux autres chercheurs (Cannel, 1974; Foster et Nixon, 1975), établit une distinction importante entre l'entretien standardisé et l'entretien non standardisé : le premier se subdivise en entretien planifié et en entretien non planifié : dans le premier cas, l'entretien est constitué de questions établies à l'avance mais posées dans le même ordre à l'interviewé, alors que dans le second cas, celui de l'entretien non planifié, l'intervieweur a le loisir de reformuler la question. Par ailleurs, l'entretien non standardisé ne pose pas les mêmes questions à tous les participants et il n'est pas possible de procéder à un traitement statistique des données ainsi obtenues. Ce dernier mode d'interrogation est souvent considéré comme préparatoire à un questionnement standardisé. Il permet d'explorer par exemple le vocabulaire des personnes interrogées et les diverses résistances qu'elles éprouvent à donner certains renseignements.

2.3.3. Selon le mode d'investigation choisi et le but poursuivi

En nous inspirant largement des travaux de Grawitz (1986) et de Mayer et Ouellet (1991, p. 310), il nous paraît utile de proposer une **typologie** générale qui, sans être exhaustive, a au moins l'avantage de donner un aperçu des principaux types d'entretiens.

TABLEAU 2.1
Les types d'entretiens

Type d'entretien	Principales caractéristiques	Objet	Objectifs
Entretien en profondeur (*depth interview*) ou libre	Le degré de liberté de l'interviewé est réduit. Le thème est souvent choisi par l'intervieweur.	Vise à faire ressortir les rapports qui existent entre la personne et le thème : suppose souvent une attitude non directive.	Usages multiples : diagnostic dans un contexte, aide psychologique, étude de motivation. Permet de comprendre en profondeur une pratique ou un processus.
Entretien centré, entretien guidé ou à réponses libres (*focused interview*)	Liberté de l'interviewé circonscrit par plusieurs thèmes : les questions peuvent ne pas être formulées à l'avance.	Étudie la réaction d'une ou de plusieurs personnes face à une situation dont on a précisé les différents aspects.	Inspiration qualitative. Ce type d'entretien est souvent utilisé dans le cadre d'une pré-enquête, avant la tenue d'une enquête quantitative.
Entretien à questions ouvertes	Liberté de l'interviewé réduite par la formulation explicite des questions; les réponses demeurent libres.	Centré sur les sujets de l'enquête et sur la perception que le répondant en a.	Pour les enquêtes à objectifs principalement qualitatifs visant à découvrir des facteurs de comportement, des types d'attitudes.
Entretien à questions fermées (guidés)	Degré de liberté très réduit, autant pour le chercheur que pour la personne interrogée.	Centré sur le sujet de l'enquête, dans un cadre préalablement établi.	Comparaison des résultats (grâce à la standardisation), pour les sondages.
Entretien actif	Participation active de l'intervieweur	Centré sur le dialogue.	Approfondissement d'un thème.
Entretien long	Liberté mitigée du sujet : l'intervieweur joue un rôle important.	Centré sur l'objet d'étude.	Catégories sociales prises en considération.
Entretien ethnographique	Degré de liberté important accordé à l'informant.	Centré sur le vécu de l'interviewé.	Porte sur tout aspect qui concerne l'individu dans un milieu donné.
Entretien clinique (type piagétien)	Degré de liberté limité par un thème.	Centré sur le discours du sujet interrogé.	Découverte de structures cognitives/fonctionnement intellectuel.

L'entretien en profondeur

Le premier type qui apparaît dans ce tableau, l'**entretien en profondeur** (*depth interview*), combine, selon Seidman (1991), l'interview de type histoire de vie et l'interview centré. Ce type d'entretien s'appuie sur des hypothèses issues de la phénoménologie et particulièrement des travaux de Schutz (1967). L'intervieweur procède par des questions ouvertes dans le dessein de permettre à son interlocuteur de construire sur les réponses que donne ce dernier à ses questions et de les explorer. « Un bon entretien en profondeur, note Banaka (1971, p. 1), résulte en la connaissance qu'a l'intervieweur d'une théorie de la communication interpersonnelle et de sa capacité à l'utiliser. » Il y a trois phases dans ce type d'entretien : l'input, l'analyse et l'output. L'input se compose des informations que l'intervieweur obtient de l'interviewé, des questions de l'intervieweur, des réponses de l'interviewé; l'analyse porte sur les inférences que fait l'intervieweur au sujet de l'interviewé en cours d'entretien et, enfin, l'output fait appel au résultat, au produit de cet échange qui peut bien évidemment être repris sous une autre forme pour en vérifier la valeur. L'entretien en profondeur est nettement de type circulaire; il se situe dans un mouvement continu, contrairement à l'entretien de simple collecte de données qui, lui, est plutôt de type linéaire.

L'entretien centré

L'**entretien centré** (*focused interview*) est classé la plupart du temps sous la rubrique « entretien dirigé ». Ce mode de classification peut créer une certaine ambiguïté. À vrai dire, l'entretien dit centré se conduit à partir d'un schéma plus ou moins détaillé, mais qui tourne toujours autour d'un thème prédéterminé qu'on veut explorer, par exemple les attitudes des parents lorsque leur enfant quitte la maison. Ce type d'entretien vise à mettre en lumière un aspect d'une situation donnée, il *se centre* sur un point précis et tend en à tracer les pourtours, à en dégager le sens et la portée et peut être mené auprès d'une seule personne ou d'un groupe de personnes. L'entretien centré sur un thème est utile notamment lorsqu'il s'agit pour le chercheur de faire émerger des hypothèses de travail à partir d'une expérience particulière vécue par les personnes concernées, d'une thématique établie à l'avance. L'intervieweur joue ici un rôle très actif en faisant converger l'attention des interviewés sur les aspects en question.

L'entretien à questions ouvertes

L'**entretien à questions ouvertes** est souvent confondu avec l'entretien non directif. Nous verrons qu'il existe des nuances importantes entre ces deux méthodes (surtout en ce qui concerne les attitudes de l'intervieweur)... Dans les préenquêtes, les questions ouvertes permettent d'éprouver certaines hypothèses ou la qualité de certaines questions. Avant de commencer l'ensemble de ses entretiens, le chercheur élabore un protocole de questions générales concernant les sujets qu'il veut couvrir. Il garde la liberté de diriger l'entretien dans toutes les directions qu'il estime intéressantes et susceptibles de fournir des données pertinentes.

L'entretien à questions fermées

L'**entretien à questions fermées** est la modalité d'entretien qui se rapproche le plus du questionnaire. Il existe également un lien évident entre ce type d'entretien et l'entretien dit standardisé. L'entretien à questions fermées tend à réduire au maximum la participation de l'intervieweur, dont le rôle est souvent décrit en termes négatifs : on souligne surtout ce qu'il ne doit pas faire. L'intervieweur est fortement incité à poser les questions (préétablies) à l'interviewé en évitant de les transformer de quelque façon que ce soit. Afin d'être en mesure de comparer les résultats, il doit adopter une attitude uniforme, neutre, dans toutes les situations d'interview. Ces indications se retrouvent dans la plupart des ouvrages classiques sur la démarche de l'entretien.

L'entretien actif

L'**entretien actif** (*active interview*) est une appellation plus récente qui demande quelques explications. De plus en plus, certains chercheurs emploient ce terme, qui marque la part de la construction d'un dialogue entre l'interviewé et le chercheur (Holstein et Gubrium, 1995, p. 16). Pour ces deux auteurs, « l'entretien actif est une forme de pratique interprétative impliquant le répondant et l'intervieweur dans un même processus de construction de sens ». Cette façon de procéder à l'élaboration d'un discours commun entre l'intervieweur et l'interviewé représente, selon les tenants de l'entretien actif, la dimension la plus poussée du dialogue. L'entretien actif se distingue nettement du type d'entretien courant et, sous certains aspects, de l'entretien non directif classique. Ici, comme le rappelle A. Mucchielli (1991, p. 30), l'interviewer « est actif car il soutient sans arrêt son interlocuteur dans sa réflexion. Il ne reporte pas à plus tard sa compréhension sous prétexte qu'il enregistre tout [...] il faut outre la compréhension du contenu être capable de ramener la compréhension de ce qui est dit par rapport à l'objet de l'entretien. » L'implication de l'interviewer est ici évidente et exige de sa part un professionnalisme certain.

L'entretien long

L'entretien dit **long** (*long interview*), dont McCracken (1988, p. 7) préconise l'usage, se rapproche et se différencie sous certains aspects de l'entretien ethnographique non structuré, du *focus group*, de l'entretien en profondeur et de l'entretien dit non directif. L'entretien long requiert l'usage d'un questionnement structuré de telle sorte que l'interviewer puisse profiter au maximum du temps qu'il passe avec l'interviewé. Il relève aussi d'un certain type d'analyse. En un mot, l'entretien long vise à fournir à l'investigateur un instrument d'enquête qu'on veut, selon McCracken, efficace, productif, adapté (*stream-lined*). Il se distingue toutefois, dit-il, de l'entretien en profondeur dans le sens qu'il s'intéresse davantage aux catégories culturelles auxquelles les individus interrogés appartiennent qu'à leurs états affectifs.

L'entretien de type ethnographique

L'**entretien de type ethnographique** se rapproche de l'entretien dit non directif. Becker et Geer (1972, p. 133) en donnent une définition succincte : « L'interviewer explore plusieurs aspects des préoccupations de l'interviewé, traitant des sujets au fur et à mesure qu'ils se présentent, poursuivant des pistes qui l'intéressent, laissant à l'interviewé la possibilité de se laisser aller à son imagination et à sa créativité pendant qu'il explore de nouvelles hypothèses et les vérifie en cours d'entretien. » Il est intéressant de comparer cette définition à celle que propose Fetterman (1989, p. 48) qui décrit, lui, trois types d'entretiens ethnographiques : a) l'entretien *informel*, qui est le moins structuré de tous, au cours duquel la conversation peut aller dans diverses directions, le but étant de laisser aux personnes interviewées le soin d'interpréter leur réalité sans idées préconçues de la part de l'interviewer; b) l'entretien *structuré*, qui est constitué d'un questionnaire visant un objectif explicite, vérifier la « réplicabilité » des réponses et les différences de perception de la part des personnes interrogées. Le but visé est, somme toute, d'obtenir des réponses à un ensemble de questions posées; et enfin c) l'entretien *à questions ouvertes,* qui est sans doute le mode le plus souvent utilisé en anthropologie.

L'entretien de type clinique

L'entretien de type clinique recouvre deux acceptions qu'il convient de distinguer. La première désigne également la méthode piagétienne, dont l'usage est bien connu dans les recherches en psychologie de l'enfant et en pédagogie, alors que la deuxième se rapproche davantage de l'approche thérapeutique.

Commençons par décrire la première, dont Piaget est l'instigateur. Dès 1926, ce psychologue suisse s'est proposé d'étudier les représentations du monde que se donnent spontanément les enfants au cours des différents stades de leur développement. Il étudie alors attentivement les questions spontanées des enfants, qui révèlent leur intérêt pour différentes choses aux différents âges et permettent de découvrir des représentations inattendues. Lorsqu'un enfant demande « Qui a fait le soleil ? », il énonce une conception d'un soleil liée à une activité fabricatrice.

Ce renversement méthodologique du couple question-réponse est à la base de l'observation clinique et fonde les principes du fonctionnement interlocutoire de l'entretien. Piaget utilise le terme « méthode clinique », se référant ainsi à une technique qui est utilisée en psychopathologie et qui consiste à diagnostiquer l'état d'un patient à partir des différents signes révélés par son discours. La méthode clinique, dans le sens piagétien du terme, est une méthode basée sur une conversation libre avec un enfant sur un thème dirigé par l'interrogateur qui suit les réponses de l'enfant, lui demande de justifier ce qu'il dit, d'expliquer, de dire pourquoi, qui lui fait des contre-suggestions, etc. La méthode piagétienne est donc opposée aux questions standardisées; elle s'appuie sur des idée directrices générales et demande à l'intervieweur d'adapter son vocabulaire et ses expressions aux situations, aux réponses et au vocabulaire du sujet interrogé.

La deuxième acception, qui est sans doute la plus courante, se rapproche de l'entretien sur un thème : elle s'intéresse aux motivations, aux sentiments généraux à la base des expériences des individus et au déroulement de ces expériences plutôt qu'aux conséquences d'une expérience spécifique. Le chercheur vise ici à faire parler le sujet de tel ou tel aspect de ses sentiments. Selltiz *et al.* (1977, p. 315) soutiennent que « la méthode de faire ressortir l'information est laissée à la discrétion du chercheur ». Ces auteurs rapprochent ce type d'entretien de l'histoire de cas, qui représente selon eux le type le plus courant d'entretien clinique. Il ne faut pas confondre l'entretien clinique, conduit dans un but de recherche, avec l'entretien thérapeutique, comme nous l'avons du reste souligné au début de cet ouvrage. L'entretien de type thérapeutique est entièrement centré sur les besoins de la personne qui vient consulter; il vise à apporter à cette dernière une aide psychologique, ce qui n'est pas le cas de l'entretien de recherche. Nous ne reviendrons pas ici sur la dérive possible dont le jeune chercheur doit se méfier.

Bon nombre de ces types d'entretiens se recoupent sous divers aspects que nous avons déjà soulignés. À cet égard, Mayer et Ouellet (1991, p. 310) font justement remarquer que « les entrevues cliniques et en profondeur peuvent se regrouper sous le nom d'entrevues non structurées ou non standardisées, les entrevues guidées, centrées, à réponses libres ou à questions ouvertes, sous le nom d'entrevues semi-structurées, et qu'enfin l'entretien à questions fermées est aussi appelé entrevue structurée ».

On remarquera que la plupart des typologies proposées s'articulent autour du niveau de structuration du questionnement. Il reste que le niveau de directivité, le nombre de sujets interviewés (entretien individuel ou de groupe) et, enfin, l'intention du chercheur doivent être nécessairement considérés quand il s'agit de choisir un type d'entretien ou un autre. C'est de ces éléments qu'il faut tenir compte dans une approche intégrative.

2.4. Le niveau de directivité, les personnes concernées et l'intention du chercheur

2.4.1. Le niveau de directivité

Dans quelle mesure l'intervieweur doit-il diriger l'interviewé ? Quelle latitude laissera-t-il à ce dernier dans la reformulation des questions ? La réponse à ces questions peut certes aider le chercheur à choisir un type d'entretien plutôt qu'un autre, souvent à situer son intervention entre deux extrêmes bien connues : l'entretien dirigé (directif) et l'entretien non directif. Cette terminologie mérite d'être mise à jour et nuancée. Rogers regrettait déjà l'usage du concept de non-directivité, alléguant qu'il pouvait conduire à une confusion avec le laisser-faire. Ainsi, pour certains intervieweurs, être non directif se ramène à observer le silence le plus complet possible, ce qui est nettement en contradiction avec l'approche rogérienne elle-même.

Dans l'entretien dirigé, l'intervieweur prend la responsabilité de diriger lui-même l'entretien en posant au sujet une série de questions précises, préparées à l'avance et souvent éprouvées auprès d'experts; il se préoccupe avant tout d'obtenir l'information nécessaire pour mener à bien sa recherche. Le sujet, lui, se soumet aux questions de l'intervieweur; il se laisse guider par ce dernier et répond de la meilleure façon possible aux questions qu'il pose.

Dans l'entretien dit non directif, au contraire, le chercheur propose à la personne interviewée un thème donné. Cette dernière a tout le loisir de s'exprimer librement sur le sujet. Le chercheur guide le sujet de façon subtile en demandant des clarifications, en reformulant, en « reflétant » ce qui a été dit. Il soutient le sujet dans sa démarche d'explication en se gardant bien de lui souffler une réponse ou de lui soutirer une information qu'il hésite à transmettre. Il existe évidemment plusieurs niveaux de directivité.

Ainsi parle-t-on souvent d'entretien structuré (ou fermé) et d'entretien ouvert pour désigner le niveau de directivité exercé par l'intervieweur. Dans le premier cas, il s'agit le plus souvent de l'entretien de recherche tel que le définissent la plupart des manuels de méthodologie : ce mode se rapproche du questionnaire dont il reprend dans les grandes lignes les mêmes façons d'interroger. L'intervieweur mène le jeu, pose des questions prédéterminées (souvent éprouvées auprès de clientèles de même niveau ou provenance). Il écarte volontairement tout ce qui lui semble ne pas se rapporter au phénomène à l'étude.

À l'opposé on retrouve le type d'entretien dit de type non directif. Dans ce dernier cas, l'intervieweur se contente de lancer la personne interrogée sur un sujet donné et de suivre le déroulement de la pensée de la personne qu'il interroge. Cette façon de faire se rapproche largement de la façon de procéder préconisée par Rogers (1945) dans ses travaux concernant l'entretien thérapeutique, à la différence souvent négligée que, dans le cas de l'entreprise de recherche, c'est l'intervieweur qui guide la personne interrogée vers un sujet en particulier. Blanchet (1982-1983; 1983) insiste sur ce point en marquant les dérives possibles de ce type d'entretien, alors que Dexter (1956) se préoccupait déjà de la question de la neutralité de l'intervieweur.

En outre, il convient de rappeler ici que le niveau de directivité est souvent relié aux objectifs que poursuit le chercheur. Ghiglione et Matalon (1978) insistent sur ce point et proposent les objectifs de recherche que sont le contrôle, la vérification, l'approfondissement et l'exploration, en les assortissant du type d'entretien qui convient selon eux.

Depuis quelques années, il est devenu courant de clarifier la part de l'intervieweur dans le déroulement de l'entretien. On parle même, comme le fait A. Mucchielli (1991), d'interview non directive « active ». L'intervieweur est actif dans ce sens qu'il soutient son interlocuteur dans sa réflexion, fait des synthèses et les soumet à l'approbation de l'interviewé. « On voit bien [...] qu'il ne s'agit donc pas d'enregistrer "bêtement" [...] tout ce qui se dit pour l'analyser après coup, dans la tranquillité de son bureau » (p. 30). Cette façon de procéder se rapproche sensiblement de la démarche propre à l'entretien en profondeur dont nous parlerons plus loin.

L'entretien non directif, comme le soulignent Pourtois et Desmet (1988), est un mode d'approche complexe : il comporte des difficultés particulières, telles que des interférences de facteurs émotionnels, des possibilités nombreuses de s'éloigner des objectifs de la recherche, la projection d'une image exclusivement positive de la part des protagonistes, des problèmes reliés à l'analyse de contenu des matériaux accumulés. Le rôle de l'intervieweur consiste surtout à servir de catalyseur, de facilitateur de l'expression des sentiments et des idées de la personne avec laquelle il s'entretient. Il évitera, cela va de soi, toute désapprobation, toute contrainte, de même que tout conseil ou toute critique.

Entre ces deux extrêmes, si l'on peut parler ainsi, se retrouve l'entretien de type semi-structuré. Ce type d'entretien est également désigné sous diverses appellations. Comme le fait justement remarquer Savoie-Zack (1997), on parle également d'« entrevue mitigée » et d'« entrevue non directive contrôlée ». Là encore, les modalités varient, mais il reste que le degré de liberté accordé au répondant est souvent assez important. L'intervieweur pose une question de mise en train et guide, par la suite, le répondant à travers ses réponses en l'aidant à articuler sa pensée autour de thèmes préétablis. Il laisse la plupart du temps à l'interviewé la possibilité de développer d'autres thèmes auxquels le chercheur n'aurait pas pensé en préparant l'entretien en question.

En somme, on le constate ici, le degré d'ouverture ou de fermeture est relié à la façon dont le chercheur envisage son rôle, au but qu'il poursuit et, comme nous le verrons, à la conception qu'il se fait de la recherche.

2.4.2. Le nombre de sujets interrogés : l'entretien individuel et l'entretien de groupe

L'entretien de recherche peut être conduit auprès d'une ou de plusieurs personnes. Selon Hedges (1985, p. 71), « les entretiens de recherche qualitatifs sont souvent divisés en deux catégories : une première qui concerne les individus[2] rencontrés un à un est souvent désignée sous l'appellation d'entretien "en profondeur", "centré", "individuel"; une seconde qui vise plutôt les groupes est connue sous les vocables de "groupes de discussion" ou d'"entretiens de groupe"». Mais ces distinctions ne sont pas aussi évidentes qu'il peut y paraître à première vue, car il existe également des entretiens individuels ou de groupes qui peuvent être centrés et en profondeur, comme nous l'avons mentionné.

Toutefois, si l'entretien individuel possède des caractéristiques communes avec l'entretien de groupe, ce dernier se distingue du précédent sous certains aspects que Festervand-Trow (1984) résume de façon éclairante. Ce type d'investigation, écrit-il en substance, est

---

2. En ce qui concerne l'entretien individuel, beaucoup d'étudiants et de chercheurs se demandent combien de sujets ils devraient interroger pour rencontrer les critères de scientificité habituellement reconnus en recherche qualitative. Malheureusement, il n'existe pas de réponse absolue à cette question. Même si très souvent, dans la pratique, ce nombre varie de dix à quinze, plusieurs auteurs, (dont L. SAVOIE-ZACK (1996). « La saturation », dans A. MUCCHIELLI, *Dictionnaire des méthodes qualitatives en sciences humaines et sociales*, Paris, Armand Collin), recommandent de s'en tenir au principe de la saturation théorique selon lequel il est conseillé de ne pas ajouter de nouvelles données quand ces dernières ne fournissent plus d'éléments nouveaux à la recherche. Après avoir choisi un nombre convenable de répondants, il conviendra soit de l'augmenter, soit de le diminuer, selon le niveau de saturation atteint.

souvent employé avec succès dans certaines recherches à titre souvent de complément au questionnaire ou à l'entretien individuel. On le désigne fréquemment sous des appellations variées : groupe de discussion, entretien de groupe centré (*focus group*), etc. Il constitue, en termes simples, une technique d'entretien qui réunit un certain nombre de participants (de cinq ou six personnes à une douzaine) et vise à faciliter une discussion qui s'articule autour d'un thème donné. Il faut noter que ce type d'entretien exige de la part de l'intervieweur une préparation et des habiletés spécifiques, notamment pour ce qui est de la communication. En effet, la collecte de données auprès d'un groupe de personnes obéit à des règles et à des conditions souvent assez différentes de celles qui prévalent dans la relation duelle. À ce titre, il convient de rappeler des différences en ce qui regarde la préparation, la mise en train, le déroulement, la collecte même et l'analyse des données.

En ce qui touche la préparation, le chercheur doit s'assurer que tous les participants ont bien compris les « règles du jeu »; ainsi, les intentions de recherche gagneront en clarté si elles sont rédigées en termes clairs et déposées auprès des sujets quelque temps à l'avance. Pour ce qui est de la mise en train, le lien avec le groupe doit être étroitement établi, en ce sens que l'intervieweur a intérêt à réchauffer son groupe; par une mise en train qui lui sert de « ballon sonde », il « tâte le pouls » du groupe. Pour ce qui est du déroulement, il y a aussi un rythme à respecter, comme le souligne R. Mucchielli (1974), et c'est là un des points les plus difficiles à respecter. Il faut être prêt à affronter l'imprévisible. Ce mode d'investigation exige de la part de l'intervieweur des qualités d'animateur et d'analyste ainsi qu'une grande perspicacité. Il lui faut saisir très rapidement la dynamique du groupe auprès duquel il intervient. Il doit éviter d'ennuyer ceux qui ont compris par des reformulations inappropriées : cet aspect est plus exigeant que dans le contexte de la rencontre individuelle. Il y a une cadence, un rythme à respecter. Très souvent enfin, l'analyse des données doit prévoir un devis assez serré qui tient compte du contexte de l'entretien, des modalités de son déroulement (attitudes de réceptivité et de collaboration des participants, résistances, etc.).

Plus spécifiquement, il est bon de rappeler l'objectif même de l'entretien de groupe. « Cette méthode, souligne encore R. Mucchielli (1974, p. 11), consiste à réunir le groupe concerné; et à conduire la réunion en vue de savoir ce qui se passe dans ce groupe, quelle est son "expérience" du problème, quelles sont ses opinions sur les faits et les effets dont il est (ou a été) témoin. » Elle fait appel à plus ou moins de contrôle ou de formalisation. Ainsi, on peut recourir à l'entretien de groupe nominal si l'on estime qu'une approche plus structurée est préférable dans une situation donnée ou encore à l'entretien de groupe libre ou de type non directif.

Certains auteurs, comme Geoffrion (1992, p. 311), parlent de groupe de discussion (*focus group*) pour désigner « une technique d'entrevue qui réunit de six à douze personnes et un animateur, dans le cadre d'une discussion structurée, sur un sujet particulier ». Geoffrion souligne que ce type d'entretien est parmi les plus populaires en sciences sociales et en marketing. Il donne des indications fort utiles en ce qui concerne la pertinence de l'emploi de cette technique, sa planification, son animation et l'analyse des résultats obtenus. Certes, l'usage du groupe de discussion en recherche est complexe et exigeant : il demande de la part de l'intervieweur une formation solide et des qualités évidentes de communicateur.

L'entretien de groupe représente une modalité de collecte de données qui s'apparie très bien avec l'entretien individuel. Effectivement, en recourant à l'entretien de groupe, le chercheur peut valider certaines affirmations ou certains points de vue recueillis au cours des entretiens individuels. Ces rapprochements doivent se faire en tenant compte des spécificités de l'un et de l'autre : mode de collecte de données, échantillonnage, etc. Powney et Watts (1987), pour leur part, analysent ce type de collecte de données sous les aspects suivants : les buts, les pratiques et l'interprétation des données. En ce qui a trait aux objectifs à atteindre, ces auteurs font remarquer que l'entretien de groupe vise à saisir les perceptions d'un ensemble d'individus reliés par de nombreuses caractéristiques communes. Pour ce qui est des pratiques, cette technique exige des qualités de modérateur, de facilitateur. L'interaction entre les divers participants doit nécessairement être prise en compte, d'où l'importance de saisir très tôt la dynamique propre à tel ou tel groupe. Enfin, sur le plan de l'interprétation des données, la transcription des données ne peut pas se faire de façon unilatérale, il faut tenir compte des interactions entre les participants et en faire ressortir le sens. Le problème de la confidentialité n'est pas facile à résoudre, car il faut tout de même illustrer les points névralgiques de l'échange par des exemples empruntés à des individus en particulier.

Les entretiens de groupe deviennent un mode de collecte de données de plus en plus populaire. Ce serait une erreur cependant de procéder dans ce domaine comme s'il s'agissait de faire plusieurs entretiens individuels en même temps. Ce mode d'investigation appelle, comme nous l'avons souligné, des dispositions particulières de la part du chercheur, et correspond à un contexte spécifique et à la prise en compte d'objectifs particuliers.

2.4.3. L'intention de l'intervieweur

Considérant les visées du présent ouvrage, il nous paraît utile d'établir certaines divergences entre les diverses approches sans pour autant négliger les points où il y a convergence. Ainsi, la différence entre l'entretien de recherche et l'entretien de type clinique n'est pas aussi radicale que certains auteurs veulent bien le laisser entendre. En effet, le chercheur en qualitatif s'inspire souvent de façons de faire empruntées à l'approche thérapeutique. Citons, entre autres, la mise en train de type empathique, l'écoute active et la reformulation.

Même si les frontières apparaissent souvent très minces entre ces divers types d'entretiens, il n'en demeure pas moins qu'il faut tenir compte de certaines différences. Ainsi, on ne saurait confondre impunément l'entretien de type sondage (enquête) et l'entretien de type thérapeutique en ce qui concerne la demande, l'objectif, la relation, l'échange, la compétence, la stratégie, les gains, les risques et la durée.

Tout en reconnaissant que le fait de se libérer de certains secrets peut avoir un effet thérapeutique chez le sujet qui participe à un entretien de recherche, en aucun cas cependant il n'appartient au chercheur de se substituer au thérapeute. L'intervieweur, dans un entretien de recherche, n'a pas pour but de soutenir ou de traiter, mais bien d'obtenir des renseignements, d'acquérir des connaissances sur tel ou tel aspect de l'activité humaine. Différents par les objectifs poursuivis, l'entretien de recherche et l'entretien thérapeutique le sont également par la position épistémologique des intervenants. Dans le cas de l'entretien de recherche, c'est l'intervenant qui est demandeur, alors que dans le cas de l'entretien thérapeutique, c'est le sujet : cette distinction est essentielle. Elle pose les limites de la démarche d'interrogation et de questionnement; elle soulève également des dimensions éthiques dont nous parlerons plus loin (voir chapitre 4).

La plupart des auteurs insistent sur la nécessité de ne pas confondre l'entretien de recherche avec l'entretien thérapeutique. En d'autres termes, les intervieweurs de recherche ne doivent pas se prendre pour des thérapeutes même si, comme le souligne Seidman (1991), l'entretien de type ouvert et non directif a des similarités avec la psychothérapie. Les buts poursuivis sont toutefois différents : le chercheur est là pour recueillir des données, non pas pour traiter ou soigner le participant. Ce dernier ne demande pas l'aide du chercheur, et il n'est pas un patient. Le chercheur rencontrera le sujet à quelques reprises et, par la suite, leur relation prendra fin. Il n'y aura pas entre eux une relation prolongée ni de responsabilité continue de la part de l'intervieweur en dehors de la situation de rencontre de travail. Les chercheurs doivent être formés de façon différente des thérapeutes : ils doivent connaître leurs propres limites et celles qui sont imposées par la structure et le but du processus d'entretien de recherche. Il leur faut de plus être attentifs au fait qu'il ne leur appartient pas de poser des questions sur la vie privée des clients, de se comporter comme s'ils pouvaient apporter une aide thérapeutique à la personne qu'ils interviewent.

Même si toutes ces précautions sont prises, il reste que l'intimité peut se développer entre l'intervieweur et les interviewés. Il peut arriver et il arrive que certains sujets puissent ressentir le processus d'entretien comme étant troublant sur le plan émotif. Il est du reste recommandé de disposer de soutien thérapeutique quand une décompensation est possible. Cette disposition assure un plus grand respect de la sensibilité de certaines personnes que l'entretien, même non directif, peut perturber. De toute façon, dans le cas où les échanges sont pénibles pour le sujet interrogé au point de perturber son développement, il est préférable de revenir en arrière et de ne pas insister sur le « point sensible ».

En dépit de ces distinctions, il ne faut pas perdre de vue le fait que toute rencontre entre deux personnes comporte des éléments qui relèvent de la psychologie de la communication (voir chapitre 3). Ainsi, des facteurs qui peuvent paraître anodins aux yeux de certains, comme le ton de la voix, la façon de se tenir et le niveau d'écoute, jouent un rôle très important en ce qui concerne la valeurs des données recueillies, car, il ne faut pas l'oublier, la personne interviewée ne se sentira pas à l'aise pour exprimer ses pensées si l'intervieweur affiche une attitude plus ou moins rébarbative ou distante.

Dès le début, nous avons fait remarquer qu'on ne saurait traiter de l'entretien de façon abstraite, puisqu'il repose sur des fonctions et des buts précis. Il est donc important de considérer l'entretien en fonction des moyens qui sont mis en œuvre afin de recueillir l'information désirée et selon le type de recherche dans lequel il s'insère.

2.5. Rapprochement avec d'autres modalités de collecte de données

2.5.1. L'entretien de recherche et l'observation participante

Certains auteurs, comme Werner et Schoepfle (1987, p. 78), soulignent que l'entretien peut contribuer à contrer certains biais propres à l'observation participante. « L'entretien permet à l'observateur participant de confronter sa perception de la "signification" attribuée aux événements par les sujets à celle que les sujets expriment eux-mêmes. » La technique de l'entretien peut donc être considérée, non seulement comme utile, mais également comme complémentaire à celle de l'observation participante : elle est nécessaire lorsqu'il s'agit de recueillir des données valides en ce qui concerne les croyances, les opinions et les idées des sujets de la recherche. Elle constitue « une méthode de recherche utilisée le plus souvent pour étudier et comprendre les phénomènes intérieurs à la vie d'une collectivité », selon l'expression d'A. Mucchielli (1991, p. 34). Ce type d'observation est souvent considéré par les ethnologues comme une étape préparatoire à l'usage de l'entretien plus structuré (Lessard-Hébert *et al.*, 1996, p. 115).

Bien évidemment, nous ne débattrons pas ici de la question de la préséance de l'observation sur le questionnement, tant il nous paraît évident que l'intervieweur est en situation d'observation au cours de l'entretien qui emprunte paradoxalement à l'observation dite objective et à l'observation dite participante. En effet, comment pourrait-on cibler, choisir les bonnes questions sans une connaissance la plus approfondie possible du contexte dans lequel se déroulent les actions des sujets interrogés ? Comment pourrait-on prétendre se tenir à l'écart d'une situation d'interaction alors qu'on en fait précisément partie ? Dans plusieurs cas, il faut bien noter que la phase de l'observation contrôlée qui devrait en principe précéder toute entreprise de collecte de données par le moyen de l'entretien n'est pas toujours possible, surtout si l'investigation se déroule dans des milieux plutôt fermés, comme c'est souvent le cas à l'école.

Par ailleurs, l'entretien de recherche peut avoir une fonction préparatoire ou instrumentale, par rapport à une autre technique comme celle de l'observation plus systématique. Il sert alors à élaborer des catégories d'observation et peut aussi, et cela se retrouve surtout chez les tenants d'approches ethnométhodologiques, jouer une fonction principale. Dans ce dernier cas, c'est l'observation participante qui assure la connaissance du milieu d'intervention et fournit au chercheur des données de base à vérifier et laissant la voie à de nouvelles interprétations. Nous verrons plus loin (chapitre 5) que l'observation participante ne doit pas entrer en contradiction avec la capacité de l'intervieweur d'observer et de comprendre sans se laisser envahir par un engagement personnel qui serait susceptible de déformer les faits, d'infléchir le discours dans un sens qui serait le sien et non pas celui de son interlocuteur.

2.5.2. L'entretien de recherche et le questionnaire

Il ne saurait être question de confondre l'entretien de recherche avec le questionnaire. Ce dernier instrument ne permet pas l'échange en direct du chercheur avec la personne interrogée. Il est le plus souvent expédié par la poste et prévoit la plupart du temps des réponses à des questions fermées. C'est un instrument qui vise la prise de l'information, basé sur l'observation et l'analyse de réponses à une série de questions posées (Pourtois et Desmet, 1988, p. 157). L'information que l'on obtient par le questionnaire se limite forcément aux réponses des sujets à des questions déterminées à l'avance.

Le questionnaire de recherche, dont R. Mucchielli (1971) décrit les caractéristiques essentielles, se distingue donc de l'entretien sous plusieurs aspects. Mais ce qui différencie avant tout ces deux modes de collecte de données, c'est bien la dimension interpersonnelle. Le fait que les questions de recherche soient posées par l'expérimentateur « en direct », si l'on peut dire, constitue un élément dont il importe de mesurer l'importance. C'est également l'avis de Selltiz *et al.* (1977, p. 290), qui écrivent : « Il y a des différences importantes entre ces deux méthodes (entretien et questionnaire). L'information que l'on obtient par le questionnaire se limite aux réponses écrites des sujets à des questions déterminées à l'avance.» En situation d'entretien, le chercheur est en mesure d'ajuster son tir quand il se rend compte que son interlocuteur a mal saisi la question qu'il vient de lui poser. Il lui est possible également de noter le comportement verbal et non verbal de la personne qu'il interroge. L'entretien de recherche se caractérise par tous ces aspects et bien d'autres qui sont largement abordés dans le cadre du présent travail.

Cela ne signifie pas pour autant que le chercheur qualitatif ne peut trouver dans le questionnaire un outil précieux de collecte de données. Certains, comme Pourtois et Desmet (1988), en recommandent même l'usage en lien avec l'entretien non directif. Un des avantages de ce mode de recueil de données, c'est qu'il se prête plus facilement au traitement statistique que les données issues de l'entretien et qu'il convient davantage à une investigation auprès de populations plus vastes.

2.5.3. L'entretien de recherche et d'autres techniques de collecte de données

L'entretien de recherche, et son apport spécifique, n'exclut pas le recours à d'autres modes de collecte de données. Ainsi peut-on penser au journal de bord, qui permet au sujet de réfléchir sur sa propre expérience et de sélectionner, contrairement à ce qui se passe dans l'entretien en face à face, ce qu'il veut partager avec la personne qui le lira. Dans le cas du journal de bord dit libre, par exemple, le sujet peut choisir ses thèmes un peu comme dans un type d'entretien non directif. Il n'en va pas de même pour l'entretien de type directif: dans ce contexte, la personne qui répond directement aux questions de l'intervieweur se soumet aux indications qui lui ont été données au départ.

On peut rapprocher également l'entretien de recherche de l'approche biographique. Le chercheur doit ici également se poser un certain nombre de questions qui se rejoignent sur plus d'un plan: le choix des personnes à interroger, la taille de l'échantillon, le mode d'intervention, la prise de données, la transcription de ces dernières, leur analyse, etc. Le récit de vie est souvent utilisé pour enrichir l'histoire orale, note Chalifoux (1992). Dans ce cas, il se base sur des entretiens menés auprès de témoins d'événements historiques. Les suggestions que l'on retrouve au sujet de cette technique de collecte de données ressemblent dans les grandes lignes à celles qui concernent l'entretien de recherche lui-même. La démarche qui se met alors en place, comme l'indique Bertaux (1980), s'apparente beaucoup plus à celle des anthropologues de terrain qu'à celle des sociologues utilisant en priorité des enquêtes par questionnaire.

Dans un cas comme dans l'autre, il se crée un processus de communication entre intervieweur et interviewé qui exige parfois des complémentarités, des vérifications effectuées en recourant à d'autres moyens. C'est dans ce sens que l'entretien de recherche peut être utilisé, en triangulation[3] avec le journal de bord, par exemple. Ce dernier mode de collecte de données permet de plus à la personne interviewée de se préparer à la rencontre ou aux rencontres avec le chercheur : elle a eu auparavant le temps de mettre de l'ordre dans ses idées par ailleurs, de réfléchir sur l'expérience qu'elle a vécue ou qu'elle est en train de vivre. Le journal de bord sert également de relais quand les entretiens sont espacés, séparés parfois par de longs laps de temps. Il sert en quelque sorte de « mémoire de papier » qui permet de se retrouver, de faire le point plus facilement. Cette combinatoire entre l'entretien de recherche et le journal de bord donne des résultats fort intéressants, notamment dans le domaine de la recherche en formation professionnelle.

À ces diverses techniques il faut ajouter des combinaisons possibles avec des techniques projectives (cartes conceptuelles, tests projectifs) qui permettent à la personne interviewée d'exprimer sa vision du monde par le truchement d'un médium non structuré et parfois moins menaçant que le stimulus de la parole. Ces dernières techniques sont assez souvent employées dans certains types d'entretiens en profondeur, soit individuels, soit de groupe; elles requièrent une formation adéquate de façon que soit évitée au maximum toute interprétation. Quoi qu'il en soit, comme l'indique A. Mucchielli (1991, p. 47), « la caractéristique essentielle de ces techniques qualitatives de recueil de données vient du fait qu'elles font corps avec le chercheur ». Elles demandent, souligne cet auteur, une formation personnelle approfondie.

---

3. Le mot triangulation fait parfois problème. Il est utilisé ici pour désigner le couplage de deux ou de plusieurs techniques de collecte de données. C'est une stratégie qui consiste à comparer des données obtenues à l'aide de deux (ou de plusieurs) démarches d'observation distinctes. Elle s'applique de plus à la comparaison de données quantitatives et de données qualitatives.

2.6. Les buts et fonctions de l'entretien de recherche

La façon de conduire un entretien sera nécessairement influencée par le but que poursuit l'intervieweur. Comme nous l'avons précédemment souligné, certains entretiens visent à obtenir de l'information, à apporter de l'aide, parfois à faire les deux. Le chercheur doit clarifier cette question dès le début; s'il ne fait pas lui-même les entretiens, il a intérêt à bien expliquer ses visées aux personnes chargées d'effectuer ce type de collecte de données.

Même les méthodologues qui optent pour une approche quantitative reconnaissent l'utilité de l'entretien non structuré, particulièrement quand les chercheurs explorent un nouveau domaine : ce type d'entretien permet de mieux dégager les thèmes susceptibles d'analyse, de cerner le niveau de compréhension des clientèles cibles ainsi que les particularités de leur vocabulaire.

Au-delà de cette considération méthodologique, il faut noter que l'entretien de recherche peut revêtir diverses formes selon que le but visé est un sondage d'opinion, un point de vue personnel sur tel ou tel fait. Si l'on vise à connaître tel ou tel comportement lié à l'usage d'un produit quelconque, il se peut bien que le simple sondage suffise à répondre aux fins poursuivies. Cependant, s'il s'agit d'enquêtes concernant les attitudes, une démarche plus en profondeur est davantage indiquée. Dans tous les cas, le mode de questionnement et d'analyse de données va nécessairement varier en fonction de ces paramètres.

Il convient également de porter attention aux fonctions de l'entretien de recherche. En définitive, il s'agit de savoir « à quoi sert » ce type d'investigation, ses caractéristiques propres (en quoi il se distingue des approches qui s'en rapprochent le plus ou même qui lui sont étroitement reliées).

En résumé, on reconnaît à l'entretien de recherche de nombreuses fonctions, dont voici les principales :

2.6.1. Recueillir des informations

Il arrive que les méthodes plus classiques (questionnaires fermés, tests standardisés, etc.) ne nous permettent pas d'avoir accès à des données parfois essentielles : attitudes, perceptions, représentations, etc.

L'entretien de recherche de type qualitatif qui nous intéresse ici au premier chef, par son côté ouvert, permet davantage l'accès à de telles données. En effet, la démarche de recherche comprend l'élaboration d'un échange progressif entre les personnes concernées. L'intervieweur ne se contente plus de colliger des renseignements, il accompagne l'interviewé dans la construction, voire le repérage de ses sentiments, de ses perceptions, etc. Il est en mesure de faire ressortir les aspects affectifs des réponses qu'il obtient de la part de la personne qu'il questionne et lui faire préciser la signification qu'elle accorde à tel ou tel phénomène. Il ne s'agit pas de s'immiscer dans la conscience de l'autre, mais de le laisser s'exprimer dans un contexte non menaçant, constructif en un mot.

2.6.2. Vérifier la valeur des résultats obtenus par d'autres moyens

Le chercheur peut ressentir le besoin de vérifier si les résultats obtenus par d'autres moyens concordent avec ceux qui émergent des entretiens qu'il a effectués. L'entretien de recherche permet souvent, par le fait qu'il permet d'approfondir le questionnement, de vérifier la pertinence et la congruence de certaines données obtenues par ailleurs lors de passation de questionnaires ou de tenue d'entretiens de groupe. Plusieurs auteurs (Lessard-Hébert *et al.*, 1996; Pourtois et Desmet, 1986) insistent sur ces combinaisons qui facilitent la vérification des résultats obtenus par le truchement de l'entretien.

2.6.3. Collecter des données sur un point particulier

L'entretien de recherche nommé *focus interview* ou « entretien centré », dont Merton *et al.* (1990) ainsi qu'A. Mucchielli (1991) donnent une description poussée, est souvent utilisé dans le but de recueillir des données sur un point circonscrit auparavant dans le contexte d'une démarche de recherche plus vaste. Ainsi, on pourra déterminer de façon plus fine l'attitude de futurs enseignants à l'égard de leur métier, grâce à un questionnement adapté qui laisse au sujet la possibilité de « se représenter » dans telle ou telle circonstance.

En un mot, l'entretien quelle que soit sa forme, joue dans le contexte de la recherche un grand nombre de fonctions dont le chercheur doit connaître le plus possible les tenants et les aboutissants. Ces fonctions marquent elles-même les limites de cet instrument dont nous parlerons plus loin. En termes clairs, on aurait tort de demander à l'entretien de recherche des « services » qu'il ne saurait rendre.

2.7. La spécificité de l'entretien de recherche dit qualitatif

Dès le début de ce chapitre nous avons attiré l'attention du lecteur sur les nombreuses appellations dont l'entretien de recherche fait l'objet. On parlera tantôt d'entretien non directif, d'entretien en profondeur, d'entretien actif, etc. En dépit de ces dénominations qui marquent bien l'état d'avancement de la réflexion et de la pratique dans le domaine, il est possible de retracer divers points d'ancrage à partir de modalités parfois assez différentes, comme on peut le voir en considérant les types d'entretiens qualitatifs.

La plupart du temps, l'entretien de type qualitatif est confondu avec celui de type non directif. Ce mode d'entretien est certes le plus souvent utilisé par les chercheurs en qualitatif, qui l'opposent à l'entretien classique dans lequel l'intervieweur conserve le contrôle de l'échange. Comme nous l'avons rappelé précédemment, l'intervieweur qui s'inspire de l'approche positiviste tente d'adopter une attitude la plus neutre possible pour ne pas influencer l'expression des sentiments et de la pensée de l'interviewé. Dans la conduite de l'entretien de type qualitatif, il n'y a pas de schéma rigide et standardisé à suivre. Par contre, on comprend facilement que ce niveau de non-directivité varie d'un entretien à l'autre selon la formation, les attitudes et les intentions de l'intervieweur ainsi que des dispositions de l'interviewé à se confier.

On utilise également l'expression « entretien en profondeur » (*depth interview*) pour désigner le processus de révélation ou d'expression de la part de l'interviewé dans une acception qualitative. Cette notion a déjà été abordée par Grawitz (1986, p. 697) qui notait fort justement que des différences existent entre les divers types d'entretiens, notamment en ce qui concerne deux facteurs qui en modifient l'élément fondamental : le degré de liberté et le niveau de profondeur. « Ils donnent, poursuit cet auteur, à la communication son contenu particulier et permettent de distinguer les divers types d'interviews. » Ce mode d'entretien convient parfaitement à l'approche qualitative. Dans la collecte des données, il paraît évident que le chercheur en qualitatif se préoccupe de respecter la dimension interpersonnelle de la communication. La définition de l'entretien en profondeur que propose Walker (1985, p. 4) met cette dimension en évidence. « L'entretien en profondeur est une conversation au cours de laquelle le chercheur encourage l'informant à relater, dans ses propres termes, les expériences et les attitudes reliées au problème de recherche. » Cet auteur ajoute que l'intervieweur ne suit pas un questionnaire rigide destiné à l'assurer que les mêmes questions sont posées aux répondants exactement de la même façon. Ce qui ne veut pas dire qu'il ne va pas utiliser un aide-mémoire afin de suivre de plus près les idées émises par l'interviewé. Il ne serait donc pas exact de dire que l'entretien en profondeur ne fait appel à aucune structure. Bien au contraire, il appartient à l'intervieweur de créer un cadre dans lequel la personne interrogée se sent à l'aise d'exprimer ses propres idées et sentiments concernant les thèmes abordés.

En dépit des nombreuses tentatives de définition de l'entretien de recherche qualitatif, ce concept demeure difficile à cerner de façon rigoureuse. Cependant, Kvale (1983, p. 174-179) en donne une définition qui semble rallier bon nombre d'auteurs, à savoir : « Sur le plan technique, l'entretien de recherche qualitatif est (souvent) semi-structuré, il ne désigne ni une conversation libre ni un questionnaire très structuré. »

Ce même auteur propose plusieurs caractéristiques de ce type d'entretien : a) il est centré sur le monde intérieur de l'interviewé; b) il tente de comprendre le sens des phénomènes reliés à ce monde; c) il est descriptif; e) sans présupposition; f) centré sur certains thèmes; g) ouvert aux ambiguïtés et aux changements; h) il tient compte de la sensibilité de l'intervieweur; i) il prend place dans une interaction interpersonnelle et j) il peut se révéler une expérience positive pour la personne interviewée. La mise en perspective de ces divers aspects de l'entretien de recherche qualitatif constitue une tentative intéressante de cerner les caractéristiques essentielles de ce style d'entretien. Il n'est donc pas étonnant qu'on les retrouve très souvent, quoique exprimés de façons différentes, dans la plupart des travaux qui portent sur le sujet.

En termes clairs, l'entretien de recherche qualitatif puise son inspiration dans les modes d'entretien qui correspondent à sa philosophie de base dont nous avons tracé les grandes lignes dans le chapitre précédent. Il va de soi que les formes les plus respectueuses du

FIGURE 2.1
Le modèle traditionnel d'entretien de recherche

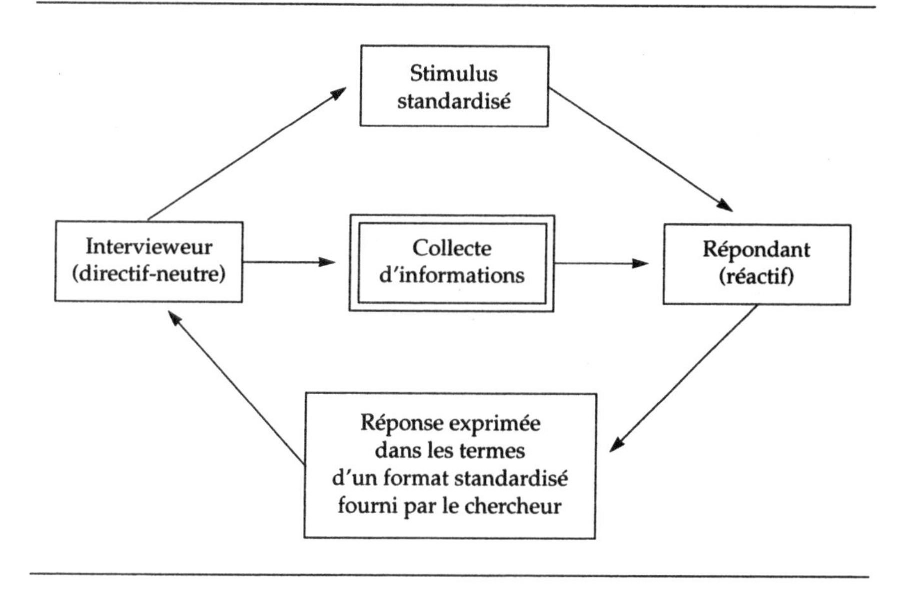

FIGURE 2.2
Le modèle qualitatif d'entretien de recherche

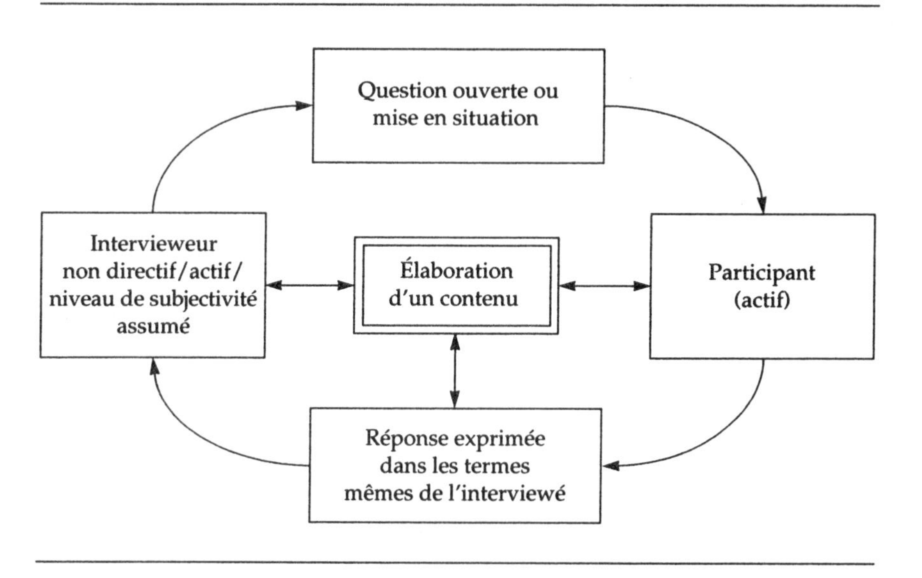

développement de l'interviewé reçoivent plus couramment l'aval des chercheurs qui se réclament de cette approche. L'entretien en profondeur, à questions ouvertes ainsi que l'entretien actif, long, ethnographique et clinique sont évidemment les plus couramment employés. Cela ne signifie pas pour autant que les autres formes sont rejetées. On rencontre un nombre imposant de méthodologues qui, tout en pratiquant une approche qualitative, se servent d'autres types d'entretiens en triangulation.

Par-delà ces nombreuses variétés d'entretiens, il nous paraît utile de présenter un aperçu comparatif de l'entretien dit classique et de l'entretien dit qualitatif. Ces deux modalités d'entretiens possèdent des caractéristiques qui leur sont propres et qu'il convient de mettre en évidence, comme nous pouvons le voir dans les figures 2.1 et 2.2.

Conclusion

Dès le début de ce chapitre, nous avons souligné la difficulté que l'on rencontre dès qu'il s'agit de donner une définition de l'entretien en général, et particulièrement de l'entretien de recherche. La plupart du temps, les auteurs de manuels (ouvrages de méthodologie) se contentent de définir ce terme en évitant toute référence à la théorie qui le sous-tend. Pourtant, pour peu qu'on se penche sur cette question, il apparaît très tôt que la définition même de l'entretien de recherche que donne un auteur reflète sa conception des fondements théoriques auxquels il adhère et qui expliquent, par conséquent, en grande partie son choix méthodologique.

Par ailleurs, le mouvement de « remise en question » qui touche les sciences humaines depuis les dernières décennies est en voie de faire place à une position critique qui ne craint pas d'établir un lien entre les conceptions philosophiques, épistémologiques du chercheur et ses choix méthodologiques et techniques. Du reste, bon nombre de chercheurs admettent que l'approche ethnographique et l'approche quantitative ne s'opposent pas nécessairement sur tous les plans et qu'elles peuvent s'enrichir mutuellement pourvu que le chercheur se préoccupe de cerner son objet de recherche et qu'il sache comment le traiter en recourant aux moyens les plus adaptés. À cet égard, il ne semble donc pas inapproprié de parler d'une nouvelle « vision » des instruments d'investigation en recherche et, plus particulièrement, de l'entretien comme tel. Comme nous venons de le voir, l'entretien qualitatif revêt diverses formes qui l'apparentent à l'entretien classique ou standardisé, notamment en ce qui regarde certaines méthodes et certains procédés. Ce type d'instrument d'investigation possède toutefois des spécificités que nous avons tenté de mettre en évidence en soulignant qu'il fait souvent appel à des techniques complémentaires qui peuvent se révéler d'une très grande utilité[4].

Références bibliographiques

BANAKA, W.H. (1971). *Training in the Depth Interviewing*, New York, Harper and Row.

BECKER, H.S. et B. GEER (1972). « Participant Observation : A Comparison », dans W.J. FILSTEAD (dir.), *Qualitative Methodology : Firsthand Involvement with the Social World*, Chicago, Markham.

BERTAUX, Daniel (1980). « L'approche biographique : sa validité méthodologique, ses potentialités », *Cahiers internationaux de sociologie*, vol. LXIX, p. 197-225.

BLANCHET, A. (1982-1983). « Épistémologie critique de l'entretien d'enquête de style non directif. Ses éventuelles distorsions dans le champ des sciences humaines », *Bulletin de psychologie*, vol. 358, p. 187-195.

BLANCHET, A. (1983). *L'implicite dans l'entretien d'enquête*. Actes du colloque CNRS. Champ social et inconscient, 16-17 juin, p. 142-148.

BRENNER, M., J. BROWN et D. CANTER (dir.) (1985). *The Research Interview : Uses and Approaches*, London, New York, Academic Press.

CANNEL, C.F. (1974). « L'interview comme méthode de collecte », dans L. FESTINGER et D. KATZ, *Les méthodes de recherche dans les sciences sociales*, traduit d'après la première édition américaine (1953) par H. LESAGE. Paris, PUF, p. 385-437.

CHALIFOUX, J.J. (1992). « L'histoire de vie », dans B. GAUTHIER, *Recherche sociale. De la problématique à la collecte des données*, 2e éd., Sainte-Foy, Presses de l'Université du Québec, p. 295-310.

DEXTER, L.A. (1956). « Role Relationships and Conception of Neutrality in Interviewing », *American Journal of Sociology*, vol. 2, septembre, p. 153-158.

4. Ces techniques complémentaires sont nombreuses. Citons à titre d'exemples la carte conceptuelle (voir les travaux de Jodelet) et les méthodes projectives à partir de planches de type Rorschach (test non figuratif constitué de taches d'encre). Dans certains cas, ces instruments servent de déclencheurs ou encore de fil conducteur quand la collecte de données est faite à plusieurs reprises.

FESTERVAND-TROW, A. (1984). « An Introduction and Application of Focus Group Research to the Health Care Industry, Special Issue : Marketing Ambulatory Care Services », *Health Marketing Quarterly*, vol. 2, n°s 2-3 (hiver-printemps), p. 199-209.

FETTERMAN, D.M. (1989). *Ethnography : Step by Step*, Newbury Park, CA, Sage Publications.

FOSTER, L. et M. NIXON (1975). « The Interview Reassessed », *The Alberta Journal of Education Research*, vol. 21, n° 1, p. 18-22.

GEOFFRION, P. (1992). « Le groupe de discussion », dans B. GAUTHIER, *Recherche sociale. De la problématique à la collecte des données*, 2e éd., Ste-Foy, Presses de l'Université du Québec, p. 311-335.

GHIGLIONE, R. et B. MATALON (1978). *Les enquêtes sociologiques. Théories et pratique*, Paris, Armand Colin, coll. U.

GORDEN, R.L. (1987). *Interviewing Strategy, Techniques and Tactics*, Chicago, The Dorsey Press.

GRAWITZ, M. (1986). *Méthodes des sciences sociales*, 7e éd., Paris, Dalloz.

HEDGES, A. (1985). « Group Interviewing », dans R. WALKER (dir.), *Applied Qualitative Research*, Old Post Road, Gower Publishing, p. 71.

HOLSTEIN, J.A. et J.F. GUBRIUM (1995). *The Active Interview*, Thousands Oaks, London, New Delhi, Sage Publications, vol. 37.

KVALE, S. (1983). « The Qualitative Research Interview : A Phenomenological and Hermeneutical Mode of Understanding », *Journal of Phenomenological Psychology*, vol. 14, n° 2, p. 171-196.

LEGENDRE, R. (1992). *Dictionnaire de l'éducation*, Paris/Montréal, Larousse.

LESSARD-HÉBERT, M., G. GOYETTE et G. BOUTIN (1996). *La recherche qualitative : fondements et pratique*, 2e éd., Montréal, Éditions Nouvelles.

MAYER, R. et F. OUELLET (1991). *Méthodologie de recherche pour les intervenants sociaux*, Montréal, Gaëtan Morin éditeur.

MCCRACKEN, G. (1988). *The Long Interview*, Newbury Park, CA, Sage Publications, Qualitative Methods, vol. 13.

MERTON, R.K., M. FISKE et F.L. KENDALL (1990). *The Focused Interview : A Manual of Problems and Procedures*, New York, Free Press; London, Ont., Collier, Macmillan.

MISHLER, E.G. (1986). *Research Interviewing. Context and Narrative*, Cambridge, MA, Harvard University Press, 185 p.

MUCCHIELLI, A. (1991). *Les méthodes qualitatives*, Paris, PUF.

MUCCHIELLI, R. (1971). *Le questionnaire dans l'enquête psychosociale. Partie connaissance du problème*, Paris, Les éditions ESF.

MUCCHIELLI, R. (1974). *L'interview de groupe. Partie connaissance du problème*, 3e éd., Paris, Les éditions ESF.

PIAGET, J. (1926). *La représentation du monde chez l'enfant*, Paris, PUF (réédition 1976).

PINTO, R. et M. GRAWITZ (1967). *Méthodes des sciences sociales*, Paris, Dalloz.

POURTOIS, J.-P. et H. DESMET (1988). *Épistémologie et instrumentation en sciences humaines*, Bruxelles, Pierre Mardaga, p. 151 et suiv.

POWNEY, J. et M. WATTS (1987). *Interviewing in Educational Research*, London, Routledge and Kegan Paul.

ROGERS, C.R. (1945). « The Non Directive Method as a Technique for Social Research », *American Journal of Sociology*, vol. 50, nº 4, p. 279-283 (*La relation d'aide et la psychothérapie*, 2 tomes, 1942, tr. fr. Paris, Les éditions ESF, 1977).

SAVOIE-ZACK, L. (1997). « L'entrevue semi-dirigée », dans B. GAUTHIER, *Recherche sociale. De la problématique à la collecte des données*, 3e éd., Sainte-Foy, Presses de l'Université du Québec.

SCHUTZ, A. (1967). *The Phenomenology of the Social World*, Evanston, IL, Northwestern University Press.

SEIDMAN, I.E. (1991). *Interviewing as Qualitative Research : A Guide for the Researchers in Education and Social Sciences*, New York, Teachers College Press.

SELLTIZ, C., L.S. WRIGHTSMAN et S.W. COOK (1977). *Les méthodes de recherche en sciences sociales*, Montréal, Les Éditions HRW, traduit par D. Bélanger.

TREMBLAY, M.A. (1968). *Initiation à la recherche dans les sciences humaines*, Montréal, McGraw-Hill.

WALKER, R. (1985). « An Introduction to Applied Qualitative Research », dans R. WALKER (dir.), *Applied Qualitative Research*, Aldershot, Gower Publishing Co., p. 3-27.

WERNER, O. et G.M. SCHOEPFLE (1987). *Foundations of Ethnography and Interviewing*, Newbury Park, CA, Sage Publications.

Chapitre 3

La communication : élément de base de l'entretien

L'entretien de recherche est d'abord et avant tout, même si cette assertion peut sembler un truisme, une *communication* entre deux personnes, en ce sens qu'il comporte un échange de messages verbaux et non verbaux. Il constitue, selon l'expression de Mishler (1986, p. 3), une « relation sociale qui exige d'être mûrie, poursuivie de façon soutenue, et qui doit se terminer d'une manière élégante ». Dans la pratique, il est facile de constater que chaque entretien reflète la personnalité tant de l'intervieweur que de l'interviewé. La façon dont ces derniers entrent en relation et poursuivent leur échange exprime un certain mode de communication dont l'effet sur les résultats de la recherche ne saurait être négligé. Il ne faut pas oublier non plus la différence de perspective, le fait que le chercheur désire obtenir des renseignements de la part de la personne interrogée, alors que cette dernière, tout en se rendant vite compte qu'elle possède l'information, peut se sentir exploitée si elle n'est pas accueillie comme il se doit, ou encore s'il n'y a que ce qu'elle dit qui intéresse son interlocuteur.

Enfin, l'entretien se situe dans un contexte social d'où ne sont pas exclues les différences de classe, de race, de sexe aussi bien que d'identité sociale. Le chercheur ne saurait négliger de tenir compte de ces réalités : il lui appartient de choisir, lors des rencontres, le ton et le vocabulaire les mieux adaptés à la situation. Autrement, il se mettrait dans la position embarrassante de ne pas avoir accès aux renseignements qu'il souhaite obtenir. Qui plus est, le fait de gommer les différences sociales ou autres qui l'éloignent de la personne qu'il interroge ne pourra qu'affecter davantage sa relation avec l'interviewé. Comme le souligne Banaka (1971, p. 1), « un bon entretien en profondeur [et cela est vrai des autres types d'entretiens] est le résultat de la connaissance qu'a l'intervieweur d'une théorie efficace de la communication interpersonnelle et de sa capacité à l'appliquer ».

3.1. Les conditions favorisant la communication

Plusieurs éléments sont à considérer si l'on place la communication à la base de l'entretien de recherche, à savoir : les dimensions personnelle et interpersonnelle de l'entretien, l'équilibre des échanges entre l'intervieweur et l'interviewé, les capacités et les limites de l'intervieweur, la vulnérabilité de la personne interrogée, la nécessité de tenir compte des frontières entre le privé et le public et, enfin, la réciprocité dans l'échange ainsi que la fréquence des rencontres. D'autres aspects sont également à considérer : le statut de l'intervieweur et les biais possibles. Ces conditions revêtent une importance différente selon que le chercheur s'inspire de l'une ou de l'autre des approches épistémologiques dont nous avons parlé précédemment (voir chapitre 1). Ainsi, comme nous le verrons tout au long de ce chapitre, l'aspect de la communication occupe une plus grande place dans les entretiens de type qualitatif. L'intervieweur, dans ce type d'entretien, joue un rôle essentiel tant sur le plan verbal que non verbal. Nous fondant sur l'analyse des travaux de nombreux auteurs, nous avons pu dégager plusieurs suggestions susceptibles d'améliorer la communication entre l'intervieweur et l'interviewé.

3.1.1. Tenir compte de la dimension personnelle et interpersonnelle dans la relation entre l'intervieweur et l'interviewé

Comme le rappelle Logan (1984, p. 19), « l'art d'interroger revêt un caractère personnel, le véritable outil de l'intervieweur étant sa propre personnalité ». En effet, il ne suffit pas de bien connaître la technique de l'entretien de recherche pour être un bon intervieweur. Il faut de plus posséder des qualités humaines qui facilitent la relation avec la personne interviewée. En d'autres termes, l'intervieweur doit être en mesure de s'adapter le mieux possible aux caractéristiques propres de ses interlocuteurs, que ce soit un enfant, un adulte, une personne handicapée ou âgée. En un mot, *l'investigateur est lui-même un instrument de recherche*, comme le soulignent Guba et Lincoln (1981). Cette métaphore, estime Miles (1979, p. 597), est utile en ce sens qu'elle souligne le fait que l'intervieweur, dans une perspective qualitative, ne peut pas atteindre ses objectifs sans se référer largement à sa propre expérience, à son imagination et à son intelligence selon des façons souvent variées et imprévisibles. Ainsi, l'intervieweur doit démontrer un certain niveau de connaissance de soi et une expérience convenable des relations interpersonnelles pour être en mesure de juger de façon équitable l'apport de la personne interviewée et faire preuve de l'empathie nécessaire à son égard.

À vrai dire, la relation intervieweur-interviewé évoque largement le genre de lien que Buber (1970) a appelé la relation du *Je-Tu*. « C'est un "être avec", écrit cet auteur, qui invite l'intervieweur à comprendre la vie de l'autre. » Le *Tu* représente quelque chose qui se rapproche de l'intervieweur : séparé, certes, du client mais proche à la fois, l'intervieweur doit demeurer une personne accueillante et attentive. Schutz (1967), dans un ouvrage classique sur l'**entretien en profondeur**, ajoute que le *Tu* est « un autre être humain vivant et conscient » (p. 164). Selon lui, la relation *Je-Tu* est fort éloignée de la perception selon laquelle le participant est considéré comme un objet ou un individu qu'il serait possible de décrire en parlant de lui à la troisième personne. Ce type d'échange, quand il s'agit d'un entretien de type qualitatif, va se rapprocher de la description qu'en fait Schutz. « Une relation dans laquelle chaque personne est orientée vers le TU – c'est-à-dire dans laquelle le sens de cette direction vers le TU est devenu mutuel – se transforme en une relation **nous**. »

Il importe toutefois de rappeler certaines nuances. L'intervieweur ne doit pas, toujours d'après Schutz, en arriver à une trop grande intimité avec l'interviewé, sinon le résultat de l'entretien serait une simple conversation. Durant la rencontre, on ne saurait parler d'égalité sur tous les plans, surtout s'il s'agit d'un entretien dont le but avoué est de recueillir des informations. Effectivement, dans une rencontre qui s'inspire de la relation *Je-Tu*, l'intervieweur doit garder une certaine distance, afin de permettre à la personne qu'il interroge d'exprimer ses réponses de la façon la plus « indépendante », la plus personnelle possible.

Certains auteurs, dont Oakley (1981) et Griffin (1989), insistent sur la nécessité pour l'intervieweur de créer une relation de type *nous* avec le participant, au risque, si cela n'est pas fait, d'établir envers ce dernier un modèle de recherche ou d'intervention hiérarchique, manipulateur. Ces propos nous paraissent excessifs. Il serait aussi inquiétant, voire malhonnête, nous semble-t-il, de faire croire à la personne interviewée qu'on ne désire pas obtenir de renseignements précis de sa part et qu'on n'en sait pas plus qu'elle dans le domaine de l'interrogation en recherche. Le rôle actif qui est ici donné au participant n'implique pas, comme le fait remarquer Weber (1986, p. 68), « une abdication de la part du chercheur : il suppose plutôt une attitude de respect envers le participant, une ouverture et un désir d'apprendre ».

Il est intéressant de noter que l'entretien de recherche « classique » s'accompagne de recommandations d'un tout autre ordre (voir chapitre 5); il est suggéré de prendre ses distances, de ne pas recourir à un ton personnel, de respecter en tous points une démarche la plus objective, la plus neutre possible (De Landsheere, 1972; Robert, 1982; Ouellet, 1994). Si l'on prend cette position au pied de la lettre, l'intervieweur doit se considérer avant tout comme un « spécialiste de l'interrogation », et non comme une personne en face d'une autre. Des ouvrages récents, dont ceux de Huberman et Miles (1991), apportent toutefois quelques mises au point intéressantes à ce sujet. Les approches qualitatives semblent de plus en plus prises en considération par les tenants de l'approche classique qui insistent davantage de nos jours sur les qualités humaines de l'intervieweur, sur son ouverture aux autres et sur sa capacité d'écoute.

3.1.2. Garder l'équilibre entre l'intervieweur et l'interviewé

La relation entre l'intervieweur et l'interviewé n'est pas univoque. Guittet (1983, p. 13) a raison d'insister sur le fait que « dans un entretien, le rapport enquêteur-enquêté est une relation active qui met en jeu le corps, les émotions, les idées ». Cette circularité entre l'« émetteur » et le « récepteur », pour reprendre l'expression classique, a été maintes fois évoquée pour illustrer le processus de la communication. L'intervieweur doit donc associer ce qui est dit et ce qui est vécu dans le moment présent. Cette association s'exprime manifestement par le comportement verbal, qui demeure notre premier mode d'échange avec l'autre pour véhiculer nos sentiments et nos émotions, comme le rappellent fort justement Myers et Myers (1984). Il revient donc à l'intervieweur de prêter attention aux dimensions non verbales de l'entretien. Cette disposition exige une acuité qu'il importe de développer dès le début de l'apprentissage de la technique d'entretien.

Mais comment pourrait-on parler d'équilibre en oubliant la part de l'interviewé ? En faisant fi de ses caractéristiques, de sa vulnérabilité ? Et pourtant, combien de fois voit-on des « protocoles de recherche » qui négligent ces aspects sous le seul prétexte de vouloir garantir une plus grande objectivité au questionnement.

Plusieurs auteurs, inspirés par l'approche ethnographique, établissent une distinction entre « répondant et informant » : le premier terme désigne celui qui répond à des questions précises posées par un intervieweur et le second, celui qui donne de l'information au sujet de sa culture, de sa situation, de ses opinions ou de ses expériences en ses propres termes sans être sollicité directement par l'intervieweur. Il est bien évident que, dans une perspective ethnographique, l'« informant » est le plus souvent sollicité par les chercheurs qui tentent de comprendre la personne en se plaçant de son propre point de vue. Il en va assez souvent autrement en ce qui concerne la recherche courante en sciences sociales et humaines, même si les enquêtes de type positiviste ne négligent pas toutes le point de vue de la personne qui répond à un questionnaire.

De façon générale, quelle que soit leur école de pensée, les bons intervieweurs tentent de voir les choses du point de vue de la personne qu'ils interrogent : ils expriment envers elle un certain niveau d'empathie. Les différences entre les approches dites expérimentales et les approches ethnographiques seraient davantage à chercher du côté du schème de référence auquel se réfèrent les chercheurs de l'une et de l'autre école de pensée. Dans le premier cas, les données sont souvent analysées à l'aide du schème de référence du chercheur; dans le deuxième cas, elles le sont à partir du schème de référence de l'intervieweur. Les questions de l'intervieweur dans le contexte courant d'entretien visent à vérifier des hypothèses émises par le chercheur;

dans le contexte qualitatif, l'intervieweur élabore des hypothèses au fur et à mesure que progresse l'entretien. On voit tout de suite les limites de la première façon de procéder. Si les répondants sont considérés comme des objets *décrits selon les concepts et le langage du chercheur,* ils peuvent se sentir réduits à de simples machines distributrices de données. Il est souvent suggéré d'observer les gens dans leur environnement naturel et de les considérer autrement que comme de simples acteurs ou objets de recherche.

Dans tous les cas, il appartient à l'intervieweur de situer la personne qu'il interroge et de la rassurer en recadrant les rôles de chacun. N'arrive-t-il pas assez souvent que la personne interrogée demande à l'intervieweur : « Que voulez-vous savoir de ma part ? », ce qui revient à demander : « Que voulez-vous entendre pour que ce soit selon vos attentes ? »... comme s'il y avait des bonnes et des mauvaises réponses. Il ne faudrait pas oublier que la situation d'entretien de recherche n'est pas aussi familière à la plupart des gens qu'on pourrait le croire. Il se peut même qu'elle rappelle, comme le soulignait une enseignante, le temps des examens oraux que, pour sa part, elle avait eu en horreur !

3.1.3. Respecter la vulnérabilité de l'interviewé

Sur le plan affectif, la situation de l'entretien de recherche se caractérise par une relation asymétrique entre la personne qui interroge et celle qui est interrogée. Jusqu'à un certain point, tous les entretiens sont perçus comme menaçants, sinon inquiétants, par ceux qui sont interrogés. C'est bien pourquoi l'une des qualités essentielles qu'on est en droit d'exiger de la part de l'intervieweur est bel et bien cette capacité de donner confiance à l'interviewé et d'établir avec lui la meilleure relation possible.

La plupart du temps, le sentiment de vulnérabilité de l'interviewé tient à des tensions internes provenant d'une histoire de vie difficile. Il peut aussi être lié à un sentiment de panique à l'idée de révéler à une autre personne des éléments de sa vie privée ou encore à une expérience qu'il n'est pas nécessairement prêt à partager. L'interviewé peut également appréhender l'entretien comme une possibilité de perdre la face, de devoir affronter ses propres contradictions tant sur le plan de ses croyances que de ses comportements.

De plus l'intervieweur, s'il n'y prend pas garde, peut mettre en évidence l'ignorance de la personne qu'il interroge et ainsi l'atteindre dans l'estime qu'elle a d'elle-même. La personne interviewée, si elle se sent menacée sur ce point, fera tout en son pouvoir pour éviter précisément de perdre son estime de soi. Ne pas tenir compte de cette tendance de la part de la personne interviewée à maintenir une « histoire vraisemblable » et à répondre aux attentes de l'intervieweur, c'est risquer de biaiser les résultats de l'entretien même si ce dernier est bien mené par ailleurs. Ce n'est pas sans raison que les ethnologues ont élaboré des méthodes d'enregistrement des réponses dans un contexte le plus naturel possible afin d'éviter les pressions liées aux questions préétablies des chercheurs et même aux idées préconçues des personnes interviewées.

Pour conclure sur ce point, la vulnérabilité de la personne interrogée fait partie des éléments que celui qui est chargé de la conduite d'un entretien doit prendre en considération. Elle lui rappelle sa propre vulnérabilité, sa crainte de ne pas être compris, de ne pas savoir relancer les échanges, en un mot, ses propres limites. Nous avons pu constater à de nombreuses occasions que l'une des grandes préoccupations des débutants dans l'art de « faire un entretien de recherche » s'exprime souvent de la sorte : « Et X ne disait rien, ne voulait pas parler ! » Comme si le silence était forcément un refus de parler... Nous reviendrons plus loin sur la place du silence dans l'entretien.

3.1.4. Respecter l'intimité de l'interviewé

La relation dans le contexte de l'interview de recherche est façonnée par ce que l'intervieweur et l'interviewé sont disposés à partager. En considérant ce qui est approprié, l'intervieweur doit, selon Shils (1959), établir une distinction entre ce qui est de l'ordre public, personnel ou privé dans la vie des participants. D'après cet auteur, l'expression « ordre public » recouvre ce que font les participants à l'école, dans les rencontres en classe, pour ce qui est des élèves ou des étudiants. Elle fait référence à des endroits où d'autres personnes peuvent observer nos faits et gestes.

La vie privée, par ailleurs, correspond à un certain niveau d'intimité. Il va de soi que cette partie de la vie des participants ne doit pas être « envahie » par les questions des intervieweurs à moins que ces derniers n'aient pris soin de faire connaître aux personnes interviewées les objectifs de leur recherche et reçu l'autorisation écrite de ces dernières. À cet égard, bon nombre d'intervieweurs débutants éprouvent de la difficulté à interroger des personnes sur des dimensions qui concernent leur vie privée. Certains d'entre eux sont souvent portés à remettre en question la pertinence de leur recherche (ou de celle à laquelle ils coopèrent), bien qu'ils reconnaissent par ailleurs que les événements qui se produisent dans la vie personnelle des gens affectent souvent leur vie publique. Il n'en reste pas moins que le monde privé de la personne interviewée doit être exploré avec tact et discernement.

Comme le fait remarquer Rowan (1981), la propre sensibilité du chercheur joue ici un grand rôle. Souvent, ce dernier est mal à l'aise quand il s'agit d'explorer des sujets tels que la maladie ou la mort et il suppose que c'est également le cas des participants. En fait, toute la question du respect de l'intimité de la personne interviewée, de son droit inaliénable de répondre ou non à une question mérite de retenir l'attention du chercheur et du responsable de recherche. Mal réglée, elle risque fort d'être perçue comme un frein à la communication.

3.1.5. Établir et conserver la réciprocité

La question de la réciprocité dans l'entretien est extrêmement importante, voire essentielle. Certains auteurs (Rowan, 1981; Marshall et Rossman, 1989) soutiennent que le manque de réciprocité peut même invalider certains résultats de recherche. Ainsi, plus l'entretien est chargé d'éléments relatifs à la race ou au sexe, plus le problème de la réciprocité peut prendre de l'importance. La situation se complique encore plus si le chercheur ne se montre pas suffisamment attentif au sens réel des mots qu'emploient les participants et se contente de les décoder à partir de son seul point de vue.

La problématique de la réciprocité a été abondamment étayée par les travaux des cybernéticiens et des systématiciens. Le chercheur a intérêt à se mettre au courant de cet apport déterminant à la connaissance des règles et conditions de la communication. Les sciences de la communication mettent justement en perspective les rôles respectifs de l'émetteur et du récepteur. À ce sujet, les travaux de l'école de Palo Alto, dont Watzlawick (1972, avec Jackson; 1980) est l'un des principaux représentants, ont renouvelé les conceptions de la relation interpersonnelle; il serait regrettable de les ignorer.

Il importe de savoir faire un usage adéquat de la rétroaction ou « feed-back ». Le futur intervieweur doit être en mesure de vérifier comment il émet ses messages et comment les autres les reçoivent. Au cours de l'entretien, chacun des protagonistes agit et réagit en fonction des propos et des attitudes de l'autre; la communication est ici véritablement un échange de signification entre deux personnes. L'art de l'entretien exige donc une bonne connaissance non seulement de son propre style d'échange, mais également des moyens susceptibles d'aider à percevoir les obstacles à la communication, de saisir rapidement les messages verbaux et non verbaux de l'autre. Il existe sur le sujet un grand nombre de travaux dans lesquels le futur intervieweur pourra puiser[1].

3.1.6. Planifier la fréquence des entretiens et son impact

Selon le but visé par le chercheur, la structure et la méthode de l'entretien varient; il en va de même pour ce qui est de la fréquence. Par exemple, le fait que l'un et l'autre se rencontrent trois fois au cours d'une période de deux à trois semaines suppose une structure différente de celle qui est mise en place lorsqu'il s'agit d'une seule et unique rencontre ou encore de deux rencontres plus ou moins espacées. Le temps écoulé entre les entretiens peut avoir, et a souvent, un impact sur les liens qui se sont établis entre le chercheur et la personne interviewée. Ainsi, des entretiens trop rapprochés peuvent donner à la personne interviewée l'impression que la relation va se poursuivre. En revanche, des entretiens très espacés risquent de donner à l'interviewé l'impression que son apport n'est plus utile, réduisant ainsi de façon considérable sa motivation. Dans tous les cas, il importe de clarifier les règles du jeu dès le début. Cette précaution permet de créer un climat favorable à l'échange et, par conséquent, de susciter les conditions les plus favorables possible à la collecte de données. L'établissement d'une entente claire et réaliste en ce qui concerne la séquence

---

1. Lire sur la question de la rétroaction : G.E. Myers et M.T. Myers (1980, p. 147-151), *Les bases de la communication interpersonnelle, une approche théorique et pratique*, Montréal, McGraw-Hill; P. Watzlawick et D.D. Jackson (1972), *Une logique de la communication*, Paris, Seuil, coll. Points. Issu de la cybernétique, ce concept est également désigné sous l'appellation de « feed-back » et désigne un processus circulaire où des informations sur l'action en cours nourrissent en retour (*feed-back*) le système et lui permettent d'atteindre son but. (Voir glossaire.)

des entretiens contribue certainement à la création d'un climat propice à la rencontre.

3.2. Les choix épistémologiques

Les tenants de l'approche qualitative ou ethnographique sont particulièrement attentifs à tous les éléments relatifs à la qualité de la communication entre l'intervieweur et l'interviewé. Cette préoccupation, comme nous l'avons déjà noté, illustre de façon assez nette les différences entre la tradition qualitative et la tradition quantitative, mais marque en même temps des rapprochements qu'on ne saurait ignorer.

Des différences apparaissent en ce qui concerne le but poursuivi : ainsi, le but de l'intervieweur en qualitatif n'est pas de découvrir « combien de personnes partagent un certain nombre de caractéristiques, mais d'avoir accès aux catégories culturelles et aux hypothèses à partir desquelles une culture construit le monde » (McCracken, 1988, p. 17). Une telle position influe sur le rôle de l'une et l'autre des personnes en présence lors de l'entretien; celles-ci ne sont plus, l'une, détentrice du savoir technique, l'autre, de l'information qu'il faut à tout prix recueillir aux fins de la recherche.

En effet, la communication ou, si l'on préfère l'interaction, entre l'intervieweur et l'interviewé, de même que la saisie juste des rôles respectifs de l'un et de l'autre, préoccupe le chercheur en qualitatif. Aux yeux de ce dernier aucun entretien ne commence sur une table rase : on ne saurait ignorer la subjectivité du chercheur dont l'objectivité ne pourrait être garantie du seul fait qu'il se garde d'intervenir lorsque le sujet répond à ses questions. Le problème est plus complexe, cela va de soi. Avant même que soit posée la première question, les participants ont déjà une histoire et des attentes. D'où l'importance de bien cerner les caractéristiques des deux personnes en interaction. Le chercheur accorde ici une grande importance à la relation interpersonnelle dont nous avons parlé plus haut. Il s'agit d'une relation de respect mutuel dans laquelle les personnes en présence s'interinfluencent.

Or, selon l'approche classique, cette relation doit être évitée : le chercheur doit plutôt agir de façon objective, c'est-à-dire qu'il doit adopter une attitude tout à fait neutre et ne pas déroger au cadre préétabli du questionnaire d'entretien. Dans le contexte qualitatif, il en va autrement : le chercheur se montre réceptif à l'expression libre du sujet et l'encourage même à exprimer ses émotions. Sur ce point, l'apport de la démarche dite non directive est évident. Les attitudes[2], que nous décrirons plus loin dans ce chapitre, d'empathie, d'acceptation inconditionnelle, de transparence, aussi bien que les techniques de reformulation, d'écho, de soutien à l'expression, sont à la base même d'un entretien de recherche de type qualitatif et permettent d'instaurer une relation d'écoute et un climat de confiance qui encouragent l'interviewé à s'exprimer le plus ouvertement possible. Nous verrons plus loin, de façon approfondie, comment elles s'insèrent dans le processus de l'entretien comme tel.

Dans la même optique, l'approche qualitative met l'accent sur le principe de réciprocité que Seidman (1991, p. 8) décrit ainsi : « C'est à mes yeux l'aspect le plus problématique de l'entretien. Je suis d'accord avec l'idée que le chercheur retire davantage du processus que l'interviewé. » Dans le contexte quantitatif, cette question ne retient pas autant l'attention des spécialistes. Le chercheur recueille des données et se préoccupe assez peu de ce que lui apporte le sujet. Dans le cas de l'entretien de type qualitatif, il en va autrement : la personne interviewée est davantage considérée comme une personne, comme un collaborateur, un sujet et non pas un objet.

3.3. Le statut des intervieweurs

Quel que soit le type d'entretien mené par un chercheur, le statut de ce dernier peut avoir un impact sur le mode de communication qu'il établit avec l'interviewé. Il faut tenir compte des liens qui unissent le chercheur à la recherche qu'il effectue. Ces liens peuvent être très différents tant sur le plan intellectuel qu'émotif. Le statut, la formation et le degré d'implication de celui qui effectue l'entretien de recherche revêtent une grande importance. Plusieurs cas peuvent se présenter :

3.3.1. L'intervieweur est un spécialiste de l'entretien

Ainsi, les intervenants professionnels sont en général moins engagés dans la recherche en tant que telle. En principe, on suppose qu'ils ne

2. Ces notions seront également abordées au chapitre 5 de cet ouvrage qui porte précisément sur la démarche de l'entretien.

sont pas intéressés de façon immédiate par les résultats de la recherche. On s'appuie, pour recommander aux chercheurs de faire appel à leurs services, sur le fait que ces personnes ont de l'expérience dans le domaine, qu'elles ont acquis des compétences spécifiques et surtout qu'elles sont en mesure de prendre du recul face à une situation donnée.

Dans la réalité, cependant, il faut reconnaître que la formation des intervieweurs est plutôt réduite à cause du manque de temps et de moyens dont disposent les chercheurs. La plupart des auteurs en méthodologie de la recherche déplorent ce fait. Il faut néanmoins souligner un certain effort de la part des responsables de programmes des 2e et 3e cycles en sciences humaines qui comportent de plus en plus de séminaires et d'ateliers d'expérimentation de techniques et de méthodes de recherche. C'est un pas dans la bonne direction même si, il faut bien l'avouer, il reste encore beaucoup à faire pour passer de la théorie à la pratique dans ce domaine.

3.3.2. L'intervieweur est également le responsable du devis de recherche

Il arrive souvent que l'intervieweur soit le responsable même du devis de recherche; dans des recherches portant sur des échantillons réduits, c'est souvent le cas, et cette situation exige beaucoup de discernement de sa part. Lorsqu'un intervieweur a une part à jouer dans les résultats de la recherche, un effet de halo est toujours possible. Certains spécialistes recommandent alors le recours aux services d'un observateur, ou d'un autre expert, qui peut tenir le rôle de guide et de conseiller dans de tels cas.

3.3.3. L'intervieweur analyse lui-même les résultats de sa recherche

Dans d'autres circonstances, l'intervieweur procède lui-même à l'analyse des résultats des entretiens qu'il a effectués. C'est souvent le cas de chercheurs débutants ou même chevronnés. Cette façon de faire peut s'expliquer de diverses façons.

En effet, celui qui conduit un entretien dispose d'un ensemble d'impressions, de renseignements (issus ne serait-ce que de la prise en compte du non-verbal) que n'a pas celui qui ne fait qu'analyser les résultats. Certains auteurs recommandent de recourir à un enregistrement télévisuel afin de tenir compte de cet aspect de la communication dont l'importance est depuis longtemps reconnue. De toute façon, on devrait prêter attention à ce que l'analyste décide de rapporter, à ce sur quoi il attire davantage l'attention. Il reste que l'analyse d'entretiens conduits par quelqu'un d'autre et celle qu'on a soi-même effectuée soulèvent certaines questions méthodologiques et éthiques qu'il convient de considérer.

Cette préoccupation prend une dimension différente selon que l'on s'inscrit dans un paradigme positiviste ou phénoménologique. Ainsi, l'intervieweur, selon la perspective ethnographique, tente de s'imprégner de la culture ambiante qu'il tente d'observer. Dans ce cas, l'analyse des entretiens fait partie de ce processus d'imprégnation. Il en va autrement pour l'approche expérimentale où les questionnaires sont standardisés avant la prise de données. En ethnographie, l'intervieweur est souvent bien connu des interviewés (pour un enseignant qui conduit des entretiens auprès du personnel et des élèves de son école, voire auprès de ses collègues, la question de l'objectivité se pose en d'autres termes). Cette approche, mise en perspective notamment par les travaux de Margaret Mead (1963), accorde à l'intervieweur un rôle particulier.

3.3.4. Les intervieweurs sont des non-professionnels

Dans un travail de type collaboratif, il peut y avoir des situations dans lesquelles des individus collaborent sans être réellement partie prenante dans le devis de la recherche ou dans l'analyse des résultats. Certains chercheurs ont recours à des enfants pour interroger des enfants, d'autres, à des adultes du même milieu socioculturel pour interroger des adultes. Ce mode de fonctionnement est en général très exigeant, car il présuppose une préparation poussée des intervieweurs, dont les biais pourraient nuire à la valeur des résultats de la recherche.

3.4. Les caractéristiques des intervieweurs

Les intervieweurs sont des êtres humains et, de ce fait, ils ont leurs propres perspectives et caractéristiques dont il faut nécessairement tenir compte même si elles ne sont pas toujours explicites. La perspective de l'intervieweur est forcément reliée à sa connaissance et à son expérience de la conduite d'entretiens. Trop souvent, cette question est négligée, alors que ces biais peuvent avoir un impact important sur les résultats mêmes de l'entretien. Il serait naïf de croire que dans l'entretien de recherche l'intervieweur n'influence pas l'interviewé et réciproquement. Bien au contraire, il en va ici comme dans toute interrelation humaine : chacun des deux individus influence l'autre. La nécessité de clarifier la part de l'intervieweur apparaît donc évidente, que ce soit sur le plan des caractéristiques personnelles et psychologiques, ou en ce qui a trait au comportement verbal ou non verbal.

3.4.1. Les caractéristiques personnelles de l'intervieweur

Certaines de ces caractéristiques, tels l'âge, l'éducation, le statut socio-économique, la race, la religion et le sexe, peuvent influencer la perception des interviewés et, de ce fait, la conduite de l'entretien. Dans certains cas, il convient de procéder à un choix des intervieweurs en considérant les sensibilités de tel ou tel groupe de sujets. Ainsi, nous avons pu constater que la présence d'un intervieweur de sexe masculin dans un projet de recherche mené auprès d'une clientèle féministe peut engendrer des situations parfois fort complexes. Cette question se retrouve au centre de nombreuses discussions.

3.4.2. Les facteurs psychologiques

Ces facteurs comprennent les attitudes, les perceptions et les attentes de l'intervieweur. Le niveau de tension de l'intervieweur peut influencer la disposition de l'interviewé à répondre. Se présenter à un entretien sans avoir au préalable « fait le vide », sans s'être donné la peine de « mettre à l'écart » certains soucis ou ennuis susceptibles de nuire à une telle situation de dialogue, cela équivaut à prendre des risques non calculés. L'entretien, comme tout autre type d'échange, se ressent de façon évidente des attitudes affichées par l'un ou l'autre des protagonistes. D'autres éléments doivent également être considérés, comme l'incitation à répondre. Il arrive effectivement que l'intervieweur, n'obtenant pas de réponse satisfaisante à ses yeux, soit porté à encourager l'interviewé à répondre selon ses attentes, la plupart du temps de façon inconsciente. Une attitude trop incitative peut évidemment modifier les résultats de l'entretien; il ne faut donc pas négliger le facteur de l'induction des réponses. Par ailleurs, il est reconnu qu'une trop grande tension chez l'intervieweur peut indisposer l'interviewé qui se sentira piégé dans une situation qu'il n'a pas souhaitée. Enfin, le niveau d'intérêt de l'intervieweur revêt également une grande importance, tant à l'égard de ce que dit l'interviewé lui-même qu'à l'égard de l'objet de recherche.

L'entretien de recherche, particulièrement celui qui s'inspire de l'approche qualitative, doit être marqué sur le plan de l'échange des caractéristiques de toute relation interpersonnelle. Ces qualités de l'intervieweur constituent le fondement même de la rencontre. Même si elles sont bien connues, ces qualités méritent une certaine clarification.

Afin de faciliter cette relation entre deux personnes, Rogers (1966) suggère de créer un climat permissif, seul capable de permettre au sujet de s'exprimer librement sans crainte d'être jugé, évalué de façon négative par le thérapeute (c'est vrai aussi pour l'intervieweur). Un tel climat n'est réalisable qu'aux conditions suivantes : l'*authenticité* ou la *congruence*, l'*attention positive inconditionnelle* et, finalement, l'*empathie*.

L'**authencité** ou la **congruence** est considérée comme un concept primordial par ceux qui s'inspirent de l'approche humaniste dans l'entretien de recherche. Être authentique, c'est refuser d'être une simple façade derrière laquelle se cacherait presque complètement la véritable personnalité de l'individu. Ainsi, l'intervieweur qui désire établir une relation vraie avec la personne qu'il interroge doit accepter d'être vraiment lui-même. Il doit éviter de jouer un « rôle ». Ce n'est qu'à cette condition que l'interviewé, à son tour, acceptera de faire preuve d'une spontanéité véritable, qui permettra l'établissement de relations humaines où chacune des personnes sera considérée comme une personne à part entière. La congruence se confond ici avec l'exigence d'authenticité dont elle n'est à vrai dire qu'une conséquence.

L'**attention positive inconditionnelle** est la deuxième attitude que les tenants d'une approche qualitative recommandent à l'intervieweur d'adopter. Elle nous renvoie encore une fois à l'authenticité. Rogers (1966, p. 104) décrit en ces termes ce type d'attitude : « C'est une attention qui n'est pas possession, qui ne demande aucune gratification personnelle. C'est une manière d'être qui se manifeste simplement par " je vous porte attention " et non par " je vous porte attention *à condition* que vous vous comportiez de telle ou telle manière " ». Il ne s'agit pas d'une passivité inopérante. L'attention positive inconditionnelle conduit l'intervieweur à éviter tout jugement de valeur au sens traditionnel du terme; il doit se contenter de constater la réalité d'autrui sans la juger, en respectant ses sentiments et ses opinions.

L'**empathie**, ou **compréhension empathique**, résume en quelque sorte les conditions précédentes. Grâce à elle, on perçoit l'autre de l'intérieur. Rogers (1966, p. 204) décrit cette caractéristique de la relation interpersonnelle de la façon suivante : « Sentir le monde privé du client comme s'il était le vôtre, mais sans jamais oublier la qualité du "comme si" – telle est l'empathie. » Il s'agit donc de la capacité pour l'intervieweur de comprendre ce que l'interviewé ressent ou éprouve véritablement en tenant compte de son cadre de référence. S'il accepte de tenir compte de cette condition, l'intervieweur doit également s'interroger sur la signification que la personne interrogée donne à la relation qui les unit. Dès lors, la relation interpersonnelle revêt un caractère particulier : elle incite celui qui interviewe à développer sa compréhension de l'autre en tant qu'être humain en s'immergeant, pour ainsi dire, dans son monde subjectif.

Telles sont, dans les grandes lignes, les attitudes psychologiques qui favorisent la bonne conduite de toute rencontre entre deux personnes, de toute rencontre interpersonnelle au sens fort du terme. Le rôle de l'intervieweur tel que Rogers le définit se rapproche de celui de « facilitateur » qu'il préconise en thérapie, en éducation et dans tous les autres domaines de l'activité humaine. Il n'est pas étonnant que les tenants de l'approche qualitative s'inspirent largement des travaux de Rogers et de ses épigones pour appuyer leurs modalités d'entretien de recherche.

3.4.3. Les facteurs reliés aux comportements verbal et non verbal

Les aspects **verbaux** et **non verbaux** de la communication doivent évidemment être considérés. Ces aspects, comme le note Watzlavick (1980), sont intimement liés : ils doivent de ce fait être pris en considération lors d'un entretien qui est défini comme la rencontre de deux personnes qui interagissent l'une sur l'autre. L'idée que l'intervieweur puisse agir de façon « aseptisée », sans influence aucune sur la personne qu'il interroge, n'est plus reçue, même par les tenants de l'approche positiviste.

Ainsi, sur le plan **verbal**, l'intervieweur peut influencer le sujet par ses hésitations dans l'énoncé de la question, le ton de la voix qui peut être monotone ou trop insistante, les tics du style « ok », « ah oui !, ah bon ! », etc. Il est souvent recommandé d'éviter d'encourager le sujet par des expressions du genre « C'est bien », « Je suis d'accord avec vous ». Cette façon de faire peut laisser croire à la personne qu'on interroge qu'il y a de bonnes et de mauvaises réponses. Il convient donc de se familiariser avec les techniques de base des échanges verbaux.

Certes, si la formulation des questions lors de l'entretien est importante, il en va de même en ce qui concerne la reformulation. Ce dernier terme désigne souvent un mode d'intervention qui consiste à redire d'une manière différente, souvent plus concise ou claire, ce qui vient d'être exprimé. Il existe à vrai dire plusieurs modes d'intervention sur le plan verbal[3]:

L'écho

Il s'agit ici de reprendre le mot clé de l'intervention, de souligner un mot accentué sur le plan du ton ou du sens, par exemple : « Je ne réussirai jamais. » La personne interviewée ayant insisté sur le mot « jamais », l'intervieweur peut reprendre ce même mot sous une forme interrogative : « Jamais ? ». En d'autres termes, l'intervieweur, quand il utilise cette technique, répète et reformule un ou plusieurs énoncés de l'interviewé, mais il ne s'agit pas, comme on le voit, d'une simple répétition. Cette façon de faire l'aide à obtenir plus de renseignements sur le sens que donne l'interviewé à cette expression. Là encore, il convient d'éviter un usage abusif, sinon la personne interrogée aurait vite l'impression que son interlocuteur ne la comprend pas ou alors qu'elle n'arrive pas à s'exprimer correctement.

Le reflet

Ce type de reformulation se situe à la suite d'une phrase importante du discours. L'intervieweur, ici, reprend les termes mêmes de l'interviewé de façon presque identique, de telle sorte que ce dernier reconnaisse, retrace sa propre pensée dans le discours de l'intervieweur. Le reflet permet à l'intervieweur de voir s'il a bien saisi le point de vue

3. Pour une synthèse fort pertinente de ces modes d'intervention nous renvoyons le lecteur à l'ouvrage de BLANCHET et GOTMAN (1992), p. 78-90.

TABLEAU 3.1
Communication verbale

La reformulation	
- écho	reprendre un mot clé dans le discours de l'interviewé;
- reflet	répéter une idée émise par l'interviewé en des termes identiques ou équivalents;
- clarification	réunir des éléments importants dans une même proposition et vérifier les sens qu'en donne l'interviewé;
L'utilisation de l'information	
- le recentrage	résumer de façon explicite les idées émises par l'interviewé pour répondre à une question;
- le point	faire la synthèse des éléments disponibles avant de passer à une autre étape de l'entretien;
- la synthèse	revoir les points majeurs de l'entretien avec l'interviewé et en vérifier le sens et le contenu.

de la personne interrogée, mais également à l'interviewé de se rendre compte de l'intérêt de son interlocuteur à bien le comprendre.

Par ailleurs, certaines personnes peuvent croire que, si le sujet interviewé répond de façon positive à une question, elles devront poursuivre avec plusieurs sous-questions. Elles peuvent alors de façon inconsciente encourager le sujet à répondre « non » ou « je ne sais pas ». C'est également tomber dans un autre travers que de tenter d'obtenir le plus de réponses possible de la part de l'interviewé : il faut vérifier si les nombreuses réponses ne cachent pas une volonté « déguisée » de donner à l'intervieweur les réponses qu'il veut entendre ou « obtenir » étant donné l'attitude de satisfaction qu'il affiche.

Les stratégies d'intervention sur le plan verbal peuvent revêtir des formes variées. Pour leur part, Blanchet et Gotman (1992, p. 80) en énumèrent trois : la contradiction, la consigne et la relance. « La contradiction, écrivent ces deux auteurs, est une intervention s'opposant au point de vue développé précédemment par l'interviewé; la consigne ou question externe est une intervention directrice introduisant un thème nouveau et, enfin, la relance est une sorte de paraphrase plus ou moins fidèle, qui est une intervention subordonnée, s'inscrivant dans la thématique développée par l'interviewé. » On comprend bien que dans un type d'entretien qualitatif, la relance l'emporte sur les deux modalités précédentes. L'écho, le reflet ou la réitération, dont nous venons de parler, en sont les types les plus courants.

Sur le plan **non verbal**, l'attitude physique de l'intervieweur peut jouer un grand rôle. Quelqu'un qui s'agite, montre de la gêne ou un certain malaise crée une atmosphère peu propice à l'échange et surtout à l'expression de sentiments. Il ne s'agit pas de contrôler le moindre froncement de sourcils, mais bien de se faire une idée de l'effet de son comportement sur le sujet. Les indications de Knapp (1978) sont encore très pertinentes. Cet auteur, à l'instar de plusieurs autres, insiste sur la prise en considération de certains facteurs qui constituent des indicateurs à ne pas négliger émanant du comportement non verbal.

TABLEAU 3.2
Communication non verbale

Communication non verbale
Mouvements du corps, posture
– le tonus : énergie, tension ou détente corporelle
– les gestes : tête, mains, pieds, jambes
Expressions faciales
– le sourire, les mimiques, les grimaces
Comportement des yeux
– la direction du regard, son intensité
Voix, paralangage
– le ton
– le rythme
– l'intensité
– les silences et les pauses du répondant
Tension physique
– les gestes de contact : mouvements de réconfort ou de protection

Tableau inspiré de Bardin, 1977; Gorden, 1987; Guittet, 1983.

La communication entre l'intervieweur et l'interviewé est marquée par la personnalité de l'un et de l'autre, par le contexte et, bien évidemment, par les limites de chacun. Pour tenter de simplifier un peu les choses, rappelons que les intervieweurs sont perçus de façon différente par chacun des interviewés. La complexité des relations interpersonnelles et leur influence sur la qualité des résultats d'entretien de recherche méritent d'être prises en considération. Toutefois, même si la qualité des données recueillies va dépendre en grande partie de la compétence de l'intervieweur, comme le rappelle Gorden (1987), il ne convient pas cependant de dramatiser outre mesure la question des biais ou des travers des intervieweurs. Vouloir couler tout le monde dans le même moule serait bien illusoire : les styles d'intervieweurs varient autant sinon plus que les types de recherche. Tout au plus pouvons-nous tenter d'éviter les pièges les plus courants que nous révèle l'expérience dans ce domaine.

3.5. Quelques pièges à éviter

3.5.1. Entretenir de fausses représentations de la part de l'interviewé et de l'intervieweur

Comme le fait remarquer Bézille (1985, p. 116) : « Jusqu'à présent les auteurs se sont surtout intéressés à mettre en évidence les effets de biais introduits par les représentations et conduites des intervieweurs, laissant de côté les représentations élaborées par les interviewés eux-mêmes et leurs effets. » C'est de ce point de vue que Maccoby et Maccoby (1958) ainsi que Kahn et Cannel (1957) rendent compte des effets induits par les représentations de l'interviewé par l'intervieweur. Ces derniers auteurs insistent sur les biais reliés à l'idée que les intervieweurs se font de leur propre rôle. À cet égard, les représentations tant de l'intervieweur que de l'interviewé ont attiré l'attention de plusieurs chercheurs. Bézille (1985, p. 142) parle même de « relation imaginaire à l'intervieweur de la part du sujet interviewé ». Il est donc prévisible que l'intervieweur soit « utilisé » comme support à la réactualisation fantasmatique de la relation de l'interviewé avec sa famille. Le jeu du transfert et du contre-transfert ne doit pas être négligé dans le contexte de l'entretien de recherche. Oublier cet aspect peut risquer de nous faire tomber dans l'un des pièges à éviter.

À cet effet, certains auteurs construisent des guides de « post-entretiens » qui permettent d'explorer les représentations que l'interviewé se fait de lui-même, de l'intervieweur et de leur relation, en présupposant une articulation entre ces trois registres de représentations.

De tels instruments s'avèrent des outils de formation fort pertinents : ils développent chez le futur chercheur une grande capacité de réflexion sur son action.

3.5.2. Établir une relation de type amical ou fusionnel

Ce type de relation ne convient pas pour la collecte de données. Une telle relation conduit les participants sur un terrain qui n'est pas celui de la recherche, mais bien celui de la camaraderie. Le piège est particulièrement sournois quand intervieweur et interviewé appartiennent au même corps de métier ou ont des expériences de vie qui sont rapprochées les unes des autres. C'est le cas par exemple d'étudiants d'un programme donné qui interrogent leurs collègues ou d'enseignants d'une école qui interrogent d'autres enseignants de la même école. On suggère de « ne pas se laisser prendre au jeu », d'établir des frontières, sans pour autant refuser toute forme d'accueil ou d'échange. Par ailleurs, quand il s'agit d'enquêtes menées auprès de populations en difficulté ou à risque, il n'est pas sûr que le désir d'imiter ses interlocuteurs, tant par le langage que la tenue, donne forcément de bons résultats. Il semblerait que ce soit tout le contraire : la plupart du temps, ces personnes ressentent ce faux rapprochement comme un manque de respect.

3.5.3. Établir une relation de type thérapeutique

Là encore, la limite n'est pas toujours facile à établir, comme nous avons pu le voir au chapitre précédent. Ceux qui débutent dans la fonction d'intervieweur sont souvent portés à jouer les « thérapeutes ». C'est là une erreur qui risque de créer de la confusion dans l'esprit de la personne interrogée, ce qui ne veut pas dire encore une fois qu'il faille rejeter toute écoute ou tout soutien. Dans le cas où la personne interviewée tente de conduire l'intervieweur sur le terrain de la thérapie, ce dernier doit avoir l'honnêteté de rappeler le contexte et le but de la rencontre. Il faut noter que certains domaines de recherche se prêtent davantage à ce type de confidence. Citons pour exemples les recherches sur la famille, les crises entre générations, l'orientation sexuelle, etc. Dans de tels cas, l'intervieweur doit être averti et formé de façon convenable, surtout quand il s'agit d'un débutant. La frontière peut parfois être très mince entre l'entretien de recherche et l'entretien de type thérapeutique. C'est une question à laquelle nous reviendrons plus loin au chapitre 5 de cet ouvrage.

3.5.4. Établir une relation de type pédagogique

Il est bien tentant pour celui qui connaît bien le domaine d'expertise de la personne interviewée de jouer au pédagogue, ou du moins à « celui qui connaît ». L'intervieweur doit se situer dans une perspective tout à fait contraire : il est celui qui cherche à comprendre, à apprendre. Trop souvent, certains entretiens se transforment en une relation de maître à élève. Cette attitude est à dénoncer : elle se manifeste d'ailleurs très tôt, dans le ton, la manière de se tenir, etc. La relation d'autorité est évidemment à proscrire. L'intervieweur n'a-t-il pas déjà, par son statut, une position dont il peut profiter très facilement au détriment de l'interviewé ?

Le fait de vouloir enseigner, transmettre des connaissances à la personne qu'on interroge risque de nuire à la collecte de données. L'interviewé se sentira obligé de répondre aux attentes de celui qui le questionne; il sera porté à camoufler sa véritable position et à taire les renseignements qui risqueraient de lui valoir une série de remarques ou de suggestions.

3.5.5. Établir une relation de type inquisiteur

Dans une telle relation, l'intervieweur dépasse largement le cadre de l'entretien courant. Il se permet de poser des questions non pertinentes et de s'opposer au sujet en le confrontant de façon inappropriée. Fort heureusement, ce type de relation n'est pas courant en recherche. Il reste néanmoins que certains intervieweurs ont parfois une propension à dépasser le cadre de l'entretien. C'est une lacune évidente, qui doit être corrigée le plus tôt possible.

Comme tout autre type de rencontre entre deux ou plusieurs personnes, l'entretien de recherche se fonde sur les lois de la communication. Il comporte des aspects spécifiques que nous venons d'exposer dans leurs grandes lignes. L'intervieweur a intérêt à connaître les caractéristiques de ce type de relation qui, comme nous l'avons longuement souligné, ne se ramène pas à une simple conversation ou à un échange amical. Les écueils auxquels nous avons fait allusion sont réels, mais non incontournables. À la limite, on « interroge davantage avec ce que l'on est qu'avec ce que l'on sait ». D'où la nécessité de travailler sur soi avant de procéder à une collecte de données auprès d'une autre personne. Se demander, par exemple, comment on se situe par rapport à la problématique abordée, comment on se sent face à l'accueil d'une expérience ou d'un point de vue qui peut être diamétralement opposé au sien, voilà autant d'aspects dont il faut tenir compte.

En un mot, l'entretien de recherche, quelle que soit sa spécificité, doit être considéré comme un processus d'investigation qui repose sur une connaissance approfondie des principes de base de la communication. Tremblay (1968, p. 312) soulignait il y a plusieurs années que « l'entrevue se fonde sur une communication entre deux ou plusieurs personnes dont l'un est observateur et les autres observés ». Le malheur, c'est que certains intervieweurs s'imaginent qu'ils sont les seuls à observer. La personne interviewée, elle aussi, « observe » l'intervieweur et ce qu'elle voit, ressent ou appréhende influence la façon dont elle répond et dont elle se comporte. Il n'est donc pas étonnant que les principes que nous venons de rappeler comprennent, d'une part, des éléments liés à la relation interpersonnelle et, d'autre part, des éléments associés aux connaissances techniques en matière de communication. Fait intéressant à noter, le choix d'un mode d'entretien appelle nécessairement une réflexion sur le style de communication que l'on veut établir avec la personne qu'on interroge. Nul doute qu'il convient, comme le propose encore Banaka (1971), de partir de soi, d'analyser avec le plus de lucidité possible sa propre façon de communiquer, d'entrer en relation avec les autres avant même de procéder à quelque entretien que ce soit.

Références bibliographiques

BANAKA, W.H. (1971). *Training in the Depth Interviewing*, New York, Harper and Row.

BARDIN, L. (1977). *L'analyse de contenu*, Paris, PUF.

BÉZILLE, H. (1985). « Les interviewés parlent », dans A. BLANCHET *et al.*, *L'entretien dans les sciences sociales*, Paris, Dunod, p. 117-142.

BLANCHET, A. et A. GOTMAN (1992). *L'enquête et ses méthodes : l'entretien*, Paris, Nathan (Nathan-Université).

BUBER, M. (1970). *La vie en dialogue : je et tu*, Paris, Aubier.

DE LANDSHEERE, G. (1972). *Introduction à la recherche en éducation*, Liège, Thom; Paris, PUF.

GHIGLIONE, R. et B. MATALON (1978). *Les enquêtes sociologiques. Théories et pratique*, Paris, Armand Colin, coll. U.

GORDEN, R.L. (1987). *Interviewing: Strategy, Techniques and Tactics*, Chicago, The Dorsey Press.

GRIFFIN, P. (1989). *Using Participant Research to Empower Gay and Lesbian Educators*. Paper Presented at the American Educational Research Association Annual Conference, San Francisco, CA (28 mars).

GUBA, E.G. et Y.S. LINCOLN (1981). *Effective Evaluation*, San Francisco, Jossey-Bass.

GUITTET, A. (1983). *L'entretien*, Paris, Armand Colin (Techniques et pratiques).

HUBERMAN, A.M. et M.B. MILES (1991). *Analyse des données qualitatives, Recueil de nouvelles méthodes*, Bruxelles, De Boeck Université.

KAHN, L.R. et C.F. CANNEL (1957). *The Dynamics of Interviewing*, New York, John Wiley & Sons.

KNAPP, M.L. (1978). *Non-Verbal Communication in Human Interaction*, New York, Holt, Rinehart and Winston.

LOGAN, T. (1984). « Learning through Interviewing », dans J. SCHOSLAK et T. LOGAN, *Pupil Perspectives*, London, Croom Helm, p. 15-36.

MACCOBY, E.E. et N. MACCOBY (1958). « The Interview : A Tool of Social Science », dans G. LINDZEY (dir.), *Handbook of Social Psychology*, Reading, MA, Addison-Wesley, p. 449-487.

MARSHALL, C. et G.B. ROSSMAN (1989). *Designing Qualitative Research*, Newbury Park, CA, Sage Publications.

MCCRACKEN, G.D. (1988). *The Long Interview in Qualitative Research*, Sage University Paper Series on Qualitative Research Methods, Beverly Hills, CA, Sage Publications.

MEAD, M. (1963). *Coming of Age in Samoa : Psychological Study of Primitive Youth*, Toronto, The New American Library of Canada Ltd.

MILES, M.B. (1979). « Qualitative Data as an Attractive Nuisance : The Problem of Analysis », *Administrative Science Quarterly*, vol. 24, p. 590-603.

MISHLER, E.G. (1986). *Research Interviewing, Context and Narrative*, Cambridge, MA, Harvard University Press.

MYERS, G.E. et M.T. MYERS (1984). *Les bases de la communication interpersonnelle, une approche théorique et pratique*, Montréal, McGraw-Hill (traduction française de Pierre Racine).

OAKLEY, A. (1981). « Interviewing Women : A Contradiction in Terms », dans H. ROBERTS (dir.), *Doing Feminist Research*, Boston, Routledge and Kegan Paul, p. 30-61.

OUELLET, A. (1994). *Processus de recherche: une introduction à la méthodologie de la recherche*, Sainte-Foy, Presses de l'Université du Québec.

ROBERT, M. (dir.) (1982). *Fondements et étapes de la recherche scientifique en psychologie*, Montréal, Chanelière et Stanké; Paris, Maloine Éditeur.

ROGERS, C.R. (1966). *Le développement de la personne*, Paris, Dunod.

ROWAN, J. (1981). « A Dialectical Paradigm for Research », dans P. REASON et J. ROWAN (dir.), *Human Inquiry*, New York, John Wiley and Sons, p. 93-112.

SCHUTZ, A. (1967). *The Phenomenology of the Social World*, Evanston, IL, Northwestern University Press.

SEIDMAN, I.E. (1991). *Interviewing as Qualitative Research, A Guide for Researchers in Education and the Social Sciences*, New York, London, Teachers College Press, Teachers College, Columbia University.

SHILS, E.A. (1959). « Social Inquiry and the Autonomy of the Individual », dans D. LERNER (dir.), *The Human Meaning of the Social Science*, Cleveland, Meridian Books, p. 114-157.

TREMBLAY, M.A. (1968). *Initiation à la recherche dans les sciences humaines*, Montréal, McGraw-Hill.

WATZLAWICK, P. (1980). *Le langage du changement*, Paris, Seuil (éd. orig. *The Language of Change*, New York, Basic Books, Inc.).

WATZLAWICK, P. et D.D. JACKSON (1972). *Une logique de la communication*, Paris, Seuil (éd. orig. *Pragmatics of Human Communication*, New York, Norton).

WEBER, S. (1986). « The Nature of Interviewing », *Phenomenology + Pedagogy*, vol. 4, p. 65-72.

Chapitre 4

Les personnes interrogées et les dimensions éthiques

« La flexibilité, la sécurité émotive et la capacité d'adaptation font partie intégrante des habiletés de base de tout intervieweur. » Cette affirmation de Gorden (1987, p. 209) prend toute sa valeur quand on considère les caractéristiques des personnes soumises à une investigation quelconque. Le fait d'interroger un jeune enfant ou un adolescent, par exemple, pose des problèmes importants sur les plans psychologique, technique et éthique. Il en va de même pour certains groupes plus vulnérables, telles les personnes âgées, handicapées, marginales ou à risque. Comme le rappelle fort justement Pauzé (1984, p. 50), « le praticien – c'est vrai aussi de l'intervieweur – ne s'adressera pas nécessairement de la même façon à un jeune enfant, à un adolescent, à un adulte d'âge mûr ou à une personne du troisième âge ». D'où la nécessité, pour l'intervieweur, d'adapter son ton, son vocabulaire et ses attitudes générales aux caractéristiques spécifiques de la personne qu'il interroge. La maîtrise des habiletés de base concernant la conduite de l'entretien ne suffit pas quand il s'agit d'interviewer des groupes particuliers; encore faut-il savoir à qui l'on s'adresse. En effet, une bonne connaissance des caractéristiques des personnes interrogées constitue l'une des conditions essentielles à la réussite de l'échange entre intervieweur et interviewé. Le fait de tenir compte du niveau de développement, du vocabulaire, de la capacité de compréhension et de l'appartenance à une culture donnée permet à l'intervieweur de mieux saisir les idées et les sentiments exprimés par la personne interrogée.

Dans ce chapitre, nous allons donner un aperçu des éléments qu'il faut considérer lors d'un entretien conduit auprès de jeunes enfants et d'adolescents, de personnes âgées, handicapées ou en difficulté. Ces considérations, même si elles portent sur quelques points particuliers, ne remettent cependant pas en cause la nécessité de tenir compte des caractéristiques générales de toute personne interviewée : sexe, âge, différences ethniques, statut social, notamment[1]. Le respect de ces caractéristiques relève d'une dimension éthique liée à toute investigation de recherche – quelle que soit la clientèle cible – dont nous allons d'abord tracer les grandes lignes.

4.1. Interviewer des enfants[2]

De plus en plus de recherches portent sur les représentations des enfants en ce qui concerne, par exemple, la réussite ou l'échec scolaire, les services qu'ils reçoivent de la part des travailleurs sociaux. Là encore, les spécificités de l'investigation scientifique auprès de cette clientèle sont, dans de trop nombreux cas, laissées de côté. Il suffit de procéder à une analyse rapide de certains protocoles de recherche pour constater l'existence de formulations inadéquates tant sur le plan méthodologique qu'éthique dans plusieurs questionnaires d'entretien destinés à de jeunes enfants. De là l'importance de prêter attention aux diverses suggestions ou règles qui, même si elles sont souvent omises, semblent faire l'unanimité chez les chercheurs.

On peut évoquer par ailleurs plusieurs raisons qui militent en faveur de l'utilisation de l'entretien auprès de l'enfant. Sur le plan

1. Curieusement, ces caractéristiques générales sont rarement abordées dans les ouvrages sur la méthodologie de recherche. Toutefois, le lecteur pourra se référer par exemple au livre de E. Pauzé (1984), *Techniques d'entretien et d'entrevue*, Montréal, Modulo éditeur, p. 32-40.
2. L'auteur a déjà traité de ce sujet en collaboration avec Daniel Martin (1996), *L'entretien de recherche semi-structuré auprès d'élèves de 6 à 12 ans : quelques considérations méthodologiques*, Colloque du doctorat en éducation de l'Université du Québec, Rimouski, 19-22 août 1995.

technique, le recours à l'entretien favorise plus, selon Elliot (1986), une participation réelle du sujet au processus d'évaluation que le simple questionnaire papier-crayon habituel. L'entretien de type semi-structuré, souvent utilisé auprès de cette clientèle, favorise l'assimilation, par l'enfant, de la démarche du chercheur au contexte d'une conversation; la familiarité de ce contexte exerce un effet positif sur son niveau de confiance et de compétence à l'égard de ce type de communication. En définitive, le contact direct avec l'enfant, inhérent à l'entretien, constituerait une des voies les plus productives de la recherche pour saisir les pensées et émotions de ce dernier à l'égard de lui-même et de son environnement.

L'utilisation de l'entretien en tant qu'instrument de recherche, particulièrement auprès de l'enfant, fait s'interroger sur les caractéristiques propres de l'enfant d'âge scolaire, sur les divers contextes dans lesquels il vit ainsi que sur la validité de ses dires. Ainsi, le fait d'interviewer de jeunes enfants soulève un certain nombre de questions : Sont-ils en mesure de dire la vérité ? Ne risque-t-on pas de les troubler et de nuire à leur équilibre ? Même si, la plupart du temps, ces préoccupations révèlent davantage l'inquiétude du chercheur et son peu d'expertise que les limites de ce type d'entretien, il devient évident que la connaissance de la psychologie de l'enfant, celle des conditions qui assurent la validité de son discours, de même que la préparation de l'intervieweur, sont autant d'éléments qui ne doivent pas être considérés à la légère.

4.1.1. Les caractéristiques de l'enfant interviewé

Avant de procéder à un entretien auprès d'un enfant, l'intervieweur aura intérêt à réviser ses notions de psychologie du développement, afin de mieux connaître les caractéristiques du sujet qu'il interroge. À titre d'exemple, si l'on interroge un enfant d'âge scolaire, il convient de tenir compte du conformisme propre à cette étape du développement. Les enfants de cet âge ont en effet tendance à adhérer, dans leur discours sinon dans leurs actions, aux attentes et aux normes en vigueur dans leur école ou dans leur famille (Mollo, 1975; Postic, 1989). On sait également que l'organisation conceptuelle et affective propre à l'enfance détermine chez l'élève une manière d'appréhender le monde difficilement comparable à celle de l'adulte (Hughes et Baker, 1990). La méconnaissance de ces caractéristiques conduit parfois certains intervieweurs à une vision étriquée de l'enfance et risque de nuire à l'investigation mise en place afin de saisir le point de vue de l'enfant.

4.1.2. Le point de vue de l'enfant

Mais qu'en est-il de la validité du discours de l'enfant par rapport à celui de l'adulte ? Certains chercheurs, rapportent Hugues et Baker (1990, p. 102), prétendent encore que la parole de l'enfant doit être sanctionnée par l'adulte, ce dernier étant censément le seul à posséder une vision objective de la réalité. Or, font remarquer ces mêmes auteurs, le fait « de déterminer la justesse des paroles de l'enfant sur la base de leur concordance avec celles de l'adulte présuppose que les perceptions de l'adulte sont justes ». Ces résistances des chercheurs par rapport à la validité du discours de l'enfant s'expliquent sans doute, du moins en partie, par le fait qu'il n'est pas facile de s'entendre sur la méthode à utiliser pour recueillir de l'information auprès d'un enfant.

Quoi qu'il en soit, le discours de l'enfant, bien qu'il soit différent de celui de l'adulte, peut être considéré comme égal à ce dernier pour ce qui regarde la fiabilité et la validité (Stone et Lemanck, 1990; Assor et Connell, 1992; Dubois et Horvath, 1992). En fait, un ensemble d'études tend à confirmer la capacité de l'enfant du primaire à différencier les comportements qu'il observe en fonction des connotations affectives et des normes sociales pressenties chez l'autre (Blumenfeld *et al.*, 1982), et à comprendre la variabilité des états d'esprit ainsi que le lien entre ces derniers et l'action d'autrui (McKeough, 1993). L'élève du primaire arriverait également à différencier les rôles et fonctions des adultes intervenant auprès de lui (Klein, 1987) ainsi que l'organisation hiérarchique de ces rôles à l'école.

Plusieurs auteurs, dont Taylor *et al.* (1984; 1985) et Smith *et al.* (1987), ne craignent pas de suggérer le recours au point de vue de l'enfant quand il s'agit de cerner les effets d'une intervention. En outre, il semble aujourd'hui démontré que le fait de tenir compte du discours de l'élève au sein de processus décisionnels permet à ce dernier de comprendre davantage les décisions qui sont prises à son égard, de mieux respecter celles-ci et d'intégrer les valeurs sous-jacentes aux interventions qui en découlent.

4.1.3. L'aspect relationnel et contextuel de l'entretien de recherche auprès de l'enfant

Nous avons déjà indiqué que l'entretien de recherche auprès de l'enfant diffère sous certains aspects de celui mené ou conduit auprès de l'adulte. En plus des caractéristiques relatives au développement de l'enfant, certains éléments du contexte scolaire, familial et social méritent l'attention du chercheur. Pour sa part, Wertsch (1985) soutient que la représentation de l'adulte que se fait l'enfant à partir de ses diverses expériences de vie joue ici encore un rôle considérable. Cette représentation marque la relation que l'enfant sera porté à établir avec toute personne qui détient l'autorité (Book et Putnam, 1992), particulièrement dans le contexte scolaire.

En fait, que ce soit à la maison, à l'école ou dans sa vie courante, les moments où l'enfant est appelé à parler de son expérience sont généralement rares. Lorsqu'ils ne le sont pas, ils constituent souvent une menace à son identité. Pour comprendre cette situation, nous n'avons qu'à nous demander quelles sont les circonstances qui conduisent habituellement un adulte à interroger de manière soutenue un enfant sur un aspect de sa vie. À l'école, comme à la maison, ce type d'entretien est fréquemment provoqué par une situation problématique, l'adulte jouant alors aux yeux de l'enfant le rôle d'inquisiteur. À notre avis, il est impératif que le chercheur tienne compte de cet aspect de la réalité de l'enfant, et encore plus si ce dernier possède un profil scolaire ou familial atypique. En effet, les élèves en difficulté, du fait qu'ils sont généralement l'objet de différentes formes d'intervention individualisée et, parfois, d'un suivi clinique, peuvent davantage assimiler l'entretien à une démarche évaluative touchant leur identité.

Il faut également faire appel à plusieurs des habiletés de base liées à l'entretien quand on interviewe un enfant. Certaines de ces habiletés revêtent ici une importance encore plus grande. Ainsi, pouvoir faire en sorte que l'interviewé se sente accepté, compris et en sécurité est encore plus important quand il s'agit d'un enfant. En outre, sur le plan de la motivation, le travail de l'intervieweur n'est pas toujours facile lorsqu'il interroge un jeune enfant. En effet, l'enfant ne voit pas toujours l'intérêt qu'il a à s'entretenir avec un adulte, étranger de surcroît, qui lui pose des questions sur des sujets qui lui apparaissent, à première vue du moins, éloignés de ses intérêts habituels.

4.1.4. La nécessité d'une adaptation de l'entretien à l'enfant

L'entretien de recherche mené auprès des enfants doit respecter un certain nombre de conditions qui influent forcément sur la validité des données ainsi recueillies. Ces conditions sont liées surtout à la préparation de l'intervieweur, de même qu'à la connaissance des pratiques d'entretien auprès de l'enfant.

La préparation de l'intervieweur

La préparation de l'intervieweur à l'entretien auprès de l'enfant comporte d'abord une réflexion sur sa propre culture, plus précisément sur sa perception de l'enfance. En effet, l'échange entre un enfant et un adulte renvoie inévitablement ce dernier à sa propre enfance et à ses rapports avec l'enfance en général; il fait ainsi appel à des présupposés qui sont à la base de la personnalité de l'intervieweur.

En outre, l'intervieweur doit être en mesure d'analyser les éléments du discours de l'enfant pour y trouver les énoncés les plus porteurs de sens, diriger l'échange vers ces éléments tout en tenant compte du contexte de la conversation. Ce qui sous-entend, chez lui, une bonne compréhension des principales caractéristiques du développement de l'enfant, notamment en ce qui touche le langage et la cognition.

Un dernier élément de préparation de l'intervieweur concerne la connaissance des techniques d'entretien. À cet égard, on doit remarquer que, *a priori*, les principes fondamentaux de tout entretien doivent être maîtrisés, notamment l'ouverture au discours par l'écoute empathique dont nous avons présenté les grandes lignes dans le chapitre 3, consacré à la communication.

En résumé, les données d'entretien ou d'observation ne deviennent effectives que lorsqu'elles sont « médiatisées » par le chercheur. La qualité de cette médiation dépend autant de l'univers personnel du chercheur que des connaissances qu'il a su acquérir au cours de sa formation antérieure. Ainsi, l'entretien auprès de l'enfant n'est souhaitable à vrai dire que lorsque l'expérience du chercheur lui permet l'accès à une image la plus complète possible de l'univers de l'enfant, ce qui suppose qu'il se donne les moyens d'enrichir sa culture personnelle et scientifique à l'égard de cet objet de recherche. L'investigation menée auprès de l'enfant se distingue des autres formes d'entretien de recherche sous un certain nombre d'aspects dont il nous faut maintenant parler.

Des pratiques d'entretien inspirées de l'approche clinique[3]

De nombreuses pratiques ont mis en évidence la nécessité de considérer le contexte de l'entretien, la création du lien, le choix des lieux et des jeux ainsi que les spécificités de l'échange entre l'enfant et l'adulte.

a) *Le contexte*

Il apparaît donc essentiel d'apporter une attention particulière au contexte de l'entretien et, de manière plus spécifique, à la situation familiale et scolaire de l'enfant. Sur le plan de l'éthique, cette attention au contexte permet d'éviter certains effets indésirables de l'intervention. À cet égard, il revient à l'intervieweur de s'assurer que son incursion dans l'intimité du sujet qu'il interroge ne crée pas une augmentation du taux d'anxiété ni ne conduise à une estime de soi amoindrie (Greenberg et Folger, 1988). Enfin, l'entretien doit être précédé, dans la mesure du possible, d'une démarche d'observation et de collecte de données environnementales qui feront l'objet d'une attention constante dans le déroulement de l'entretien.

b) *La création d'un lien significatif*

Avant même que débute l'entretien, la création d'un lien significatif entre l'adulte et l'enfant interrogé se révèle primordiale. Ce lien dépasse le simple sentiment de confiance : il constitue, selon Barker (1990), un état de compréhension mutuelle et d'harmonie. L'enfant sent alors que l'intervieweur a ses intérêts à cœur, qu'il peut vraiment le comprendre et, lorsque c'est nécessaire, l'aider à clarifier sa pensée. L'établissement et la préservation d'un tel lien impliquent non seulement une attitude acceptante de la part du chercheur, mais également une grande flexibilité dans l'application du protocole d'entretien.

c) *Le lieu où se déroule l'entretien*

Le lieu où se déroule l'entretien revêt également une grande importance. L'intervieweur doit prendre soin de déterminer un

3. Nous renvoyons le lecteur au chapitre 2 ainsi qu'au chapitre 3 de cet ouvrage pour une description de cette approche.

endroit facilement accessible à l'enfant et qui ne lui rappelle pas trop l'intervention scolaire, surtout s'il s'agit d'un élève en difficulté. Il voit donc à aménager un endroit qui soit agréable pour l'enfant, en tenant compte de son âge. S'il advient que malgré toutes ces précautions l'enfant manifeste un certain inconfort, il vaut mieux poursuivre l'entretien ailleurs si celui-ci le désire (par exemple à l'extérieur : parcs, cour d'école, etc.), plutôt que d'y mettre fin de façon abrupte.

d) *Le recours au jeu*

Le recours au jeu représente une façon fort pertinente d'aider l'intervieweur à créer et à maintenir un lien avec son jeune interlocuteur. L'enfant d'âge scolaire, comme on le sait, s'intéresse à l'exploration et à la manipulation des objets : il convient donc de prévoir un ensemble d'activités ludiques de courte durée exigeant un minimum d'adresse, comme les jeux *Puissance 4*, *Othello* et divers jeux de cartes. Ces jeux sont particulièrement utiles dans la phase initiale de la rencontre, mais ils peuvent également accompagner l'entretien, constituant ainsi un prétexte à la conversation. Ce sont des éléments tels que la réaction de l'enfant aux suggestions de l'adulte, son niveau d'intérêt envers les jeux et ses comportements généraux lors de l'entretien, estiment Hughes et Baker (1990), qui permettent de guider l'action de l'intervieweur dans sa démarche.

e) *La spécificité des échanges entre enfant et adulte*

En ce qui concerne les modalités d'interrogation, il est souvent suggéré de poser des questions simples et précises aux enfants dans un entretien de recherche, d'éviter de les orienter sur des pistes de réponses en formulant les questions de façon trop directive. On suggère aussi de faire des arrêts ou des transitions afin de tenir compte de la capacité limitée d'attention et de concentration des sujets. Inutile de revenir longuement sur la question du langage utilisé par l'intervieweur : trop puéril, il ne sera pas pris au sérieux, trop savant, il ne sera pas compris.

Toujours dans le dessein de préserver le lien avec l'enfant, il convient finalement que l'intervieweur accepte de répondre aux questions de ce dernier et facilite son expression. La plupart des enfants, tout comme les adultes, se sentent mal à l'aise quand l'intervieweur instaure une relation à sens unique. Un dialogue véritable entre un enfant et un adulte nécessite, plus que jamais, de la part de ce dernier une grande ouverture aux sentiments et aux préoccupations de son interlocuteur.

En conclusion, en ce qui concerne la conduite de l'entretien auprès de l'enfant, Dillard et Reilly (1988, p. 99 et suiv.) suggèrent pour leur part de: 1. tenir compte du niveau de développement de l'enfant; 2. préparer l'environnement, le lieu où se déroulera l'entretien; 3. prévoir le degré de structure en qui concerne le questionnement; 4. établir une alliance avec l'enfant avant même le début de l'entretien; 5. baliser la démarche de l'entretien; 6. écouter attentivement; 7. éviter les questions trop complexes et, enfin, 8. réduire la tension chez l'enfant interviewé par le recours au jeu, au dessin ou aux mises en situation.

4.2. Interviewer des adolescents

La plupart des considérations abordées sous la rubrique précédente s'appliquent également à l'entretien mené auprès des adolescents. En ce qui concerne de façon plus précise les étapes de l'entretien, il est généralement recommandé, lors du contact initial avec un adolescent, de bien lui expliquer la nature de la rencontre, de telle sorte qu'il se sente respecté dans la demande qui lui est faite. En outre, dans le cas d'une intervention auprès de la famille, c'est une erreur que de demander l'autorisation d'entretien aux parents, sans avoir vérifié au préalable si les adolescents acceptent eux-mêmes de participer. Le fait d'agir ainsi ne peut qu'indisposer le jeune envers l'intervieweur.

Afin de procéder efficacement aux entretiens conduits auprès d'adolescents, divers éléments sont ici à considérer. Ainsi, l'intervieweur doit connaître les principales caractéristiques de l'adolescent, notamment en ce qui concerne son niveau de développement psychologique et son besoin d'autonomie. Il doit aussi être conscient du fait que certains adolescents éprouvent de la difficulté à exprimer leurs sentiments et leur pensée ou vivent une période d'opposition au monde des adultes qui rend le dialogue avec ces derniers éprouvant à leurs yeux.

4.2.1. Les caractéristiques des adolescents

Avant tout, il convient de considérer que les jeunes de 11 à 15 ans sont parvenus au stade de l'intelligence opératoire formelle. Selon Piaget

(1972), ce stade se manifeste à partir de 12 ans, avec un palier vers 14-15 ans. Les adolescents sont alors en mesure de communiquer avec les autres d'une façon beaucoup plus complexe qu'auparavant. L'émergence de la pensée formelle rend l'entretien auprès de l'adolescent plus facile sous certains aspects et plus difficile sous d'autres. Ainsi, l'intervieweur doit s'attendre à ce que l'adolescent soit sans doute porté à lui demander des éclaircissements, ce que ne fait pas spontanément l'enfant.

En somme, on peut relever, comme le fait Barker (1990), six grands ensembles d'éléments qui déterminent les modalités de l'entretien conduit auprès de l'adolescent : 1. la formation de l'identité, 2. le conflit entre la dépendance et l'indépendance, 3. le développement sexuel, 4. l'influence du groupe des pairs, 5. le fait que les demandes de la société sont souvent trop élevées par rapport au niveau de développement de l'individu, 6. la situation familiale.

L'adolescent cristallise souvent son attention sur lui-même. Il a parfois également des convictions bien arrêtées en ce qui a trait à ses compétences, à ses habiletés sociales et à sa vie future. Il tient à être différent des autres tout en conservant une appartenance au groupe qui lui permet de s'affirmer et de se découvrir. Il devient lui-même et ne veut plus être confondu avec l'enfant qu'il était il n'y a pas si longtemps. Piaget et Inhelder (1966, p. 118) tracent un portrait éloquent du changement de perspective qui caractérise l'adolescence.

> L'adolescence (15-18 ans) étant l'âge de l'insertion de l'individu dans la société adulte bien plus encore que la puberté, la pré-adolescence est caractérisée à la fois par une accélération de la croissance physiologique et somatique et par cette ouverture aux valeurs sur les possibilités nouvelles auxquelles le sujet se prépare déjà parce qu'il parvient à les anticiper grâce à ses nouveaux instruments déductifs.

C'est également une période d'oscillation entre dépendance et indépendance. Tout en se séparant de sa famille, l'adolescent tient à y conserver une place, à faire valoir son point de vue. En revanche, il veut « créer sa propre vie ». Le passage de la dépendance à l'indépendance est parfois difficile pour certains, alors qu'il fournit à d'autres l'occasion d'une indépendance agressive qui peut cacher un sentiment d'inadéquation. De plus, le développement de la sexualité constitue un facteur important de la formation de l'identité.

L'influence du groupe des pairs est également marquante. Elle se révèle un corollaire logique de la diminution de la dépendance envers la famille. En outre, l'adolescence s'inscrit dans un paradoxe social : la puberté arrive de plus en plus tôt et la séparation d'avec la famille beaucoup plus tard. Il n'est donc pas étonnant qu'à ce moment de la vie la relation à l'autorité soit en pleine mutation. Ces changements, l'intervieweur doit les avoir présents à l'esprit quand il interroge un adolescent.

En somme, il lui faut respecter quelques règles élémentaires :

1. Dans le cas où l'adolescent et ses parents font partie de la même population auprès de laquelle on effectue une prise de données, l'adolescent doit être interrogé en premier.
2. Il est essentiel de bien établir clairement les limites de la confidentialité en respectant la position de l'adolescent : lui rappeler qu'il n'est pas obligé de répondre à toutes les questions s'il n'en a pas envie.
3. Il importe de présenter l'entretien comme une rencontre de deux personnes et non pas d'un adulte avec un adolescent : expliquer clairement à l'adolescent pourquoi il est reçu en entretien.
4. L'intervieweur doit connaître le langage des adolescents, de telle sorte que lors de l'entretien ces derniers n'aient pas l'impression d'être incompris. Cette précaution est également utile quand on intervient auprès d'une clientèle particulière.

4.2.2. L'aspect relationnel et le contexte de l'entretien

Dès le début de l'entretien, l'intervieweur fait face à deux tâches parfois difficiles : établir la confidentialité et vaincre les résistances. En ce qui concerne la première tâche, il est préférable de l'aborder de façon simple et directe, sans arrière-pensée. L'entretien prend, dès lors, une tournure qui accroît chez l'adolescent la confiance en l'intégrité de l'intervieweur.

Quant aux résistances que l'on rencontre assez souvent au cours d'entretiens auprès de jeunes, elles ne doivent pas être identifiées au simple refus de coopérer. Elles apparaissent en effet souvent associées aux expériences que l'adolescent a vécues auparavant avec des adultes, parents ou éducateurs dont l'autoritarisme ou l'incompréhension ont pu le heurter. Très souvent les résistances proviennent du fait que l'adolescent ne comprend pas le bien-fondé de sa participation à ce type de rencontre. Dès lors, il appartient à l'intervieweur d'exprimer ses attentes, à défaut de quoi il risque de n'obtenir de l'interviewé que des renseignements très sommaires.

4.2.3. La préparation de l'intervieweur

Quand on interviewe un adolescent, il faut d'abord se rappeler qu'il s'agit d'un individu en pleine transformation. L'adulte qui interroge un jeune doit donc posséder un bonne formation dans le domaine de la psychologie de l'adolescent ou du moins, quand ce n'est pas le cas, se renseigner sur le développement normal de l'adolescent sur les plans physique, cognitif, social et affectif. Ce type d'entretien constitue une tâche complexe et nécessite une préparation adéquate de la part de l'intervieweur qui doit ici encore se situer par rapport aux personnes qu'il interroge et faire « le tour de ses représentations », voire de ses préjugés.

En outre, l'intervieweur doit tenir compte des difficultés qu'éprouvent les adolescents et du contexte dans lequel ils vivent. Les phases que nous retrouvons dans toute démarche d'entretien sont à respecter, à savoir : contact initial, préparation des jeunes à l'entretien. Il revient également à l'intervieweur d'assurer aux jeunes la confidentialité, d'accepter leurs résistances, de les inclure dans la prise de décision quand la situation s'y prête, de procéder à l'entretien avec un minimum de structure et d'être attentif à la façon dont l'entretien se termine. Il est aussi utile qu'il connaisse le groupe de pairs auquel appartient l'adolescent et qu'il soit au courant de sa situation familiale et scolaire.

Enfin, certaines précautions sont à prendre quand il s'agit de décider du niveau de directivité des questions à poser. Il arrive que des adolescents éprouvent un certain malaise quand l'intervieweur se cantonne dans une position extrêmement non directive. Ils sont portés à interpréter cette attitude comme un manque d'intérêt de la part de leur interlocuteur. Plusieurs auteurs suggèrent une position mitoyenne dans laquelle l'intervieweur joue un rôle plus actif. La chose la plus importante au cours de l'entretien consiste à ne pas perdre de vue la nécessité que l'adolescent participe autant que possible au dialogue. Ce dernier se sentira alors plus responsable et son niveau de motivation sera plus élevé.

En résumé, l'entretien de recherche conduit auprès des adolescents appelle un ensemble de considérations dont l'intervieweur a tout intérêt à tenir compte : l'adolescent vit un stade de développement intégral tant sur le plan physique, moral que cognitif; il éprouve de la difficulté à faire confiance spontanément aux adultes; la confidentialité revêt donc une grande importance à ses yeux. Pour toutes ces raisons, il importe de choisir un mode de questionnement qui invite à la participation, afin de susciter la motivation du sujet interviewé.

4.3. Interviewer des personnes âgées

Au cours des dix dernières années, les recherches auprès des personnes âgées se sont multipliées et font une large part à l'entretien. Dans le droit fil du développement de la gérontologie qui s'est produit au cours des dernières années, il est devenu assez courant que des recherches soient effectuées auprès des personnes âgées sans que les chercheurs se soient donné la peine de se renseigner sur les particularités de ce groupe. Il nous paraît nécessaire de dire un mot sur les caractéristiques de l'interview menée auprès des personnes âgées. L'entretien auprès de cette clientèle pose certains problèmes spécifiques qu'il nous faut envisager ici. Il faut reconnaître que les personnes du troisième âge possèdent des caractéristiques propres dont l'intervieweur doit tenir compte pour obtenir l'information dont il a besoin.

4.3.1. Les caractéristiques des personnes âgées

Les connaissances que nous possédons sur l'art d'interroger les personnes âgées proviennent surtout du contexte des sciences sociales, comme le notent Keller et Hughston (1981). Il va de soi qu'on doit se renseigner sur les étapes de la vie[4]. L'intervieweur ne doit pas perdre de vue que les personnes âgées ne sont pas aussi différentes de leurs puînés que certains stéréotypes peuvent le laisser croire. Certaines caractéristiques de cette clientèle doivent cependant être considérées. L'intervieweur doit écouter la personne âgée de façon très attentive, en évitant de se laisser envahir par les préjugés et les notions préconçues à l'endroit de cette clientèle. Une telle écoute ainsi qu'une expérience et

---

4. À cet égard, le lecteur lira avec intérêt l'excellent ouvrage de Renée HOUDE, *Les temps de la vie. Le développement psychosocial de l'adulte selon la perspective du cycle de vie*, Montréal, Gaëtan Morin éditeur, 1986.

une formation adéquates constituent autant de facteurs qui faciliteront la tâche de l'intervieweur et encourageront une réponse de la part de la personne interrogée.

4.3.2. L'aspect relationnel et contextuel

Sans qu'il s'agisse pour autant d'une démarche unique, l'interrogation des personnes âgées exige un certain nombre de précautions qu'il ne faudrait pas passer sous silence.

Respect des habitudes et des valeurs

Il serait de mauvais ton, par exemple, de tutoyer une personne âgée, sous prétexte de la faire se sentir plus jeune ou de faire « ami-ami ». Les gens âgés ne le tolèrent pas facilement : un chercheur jeune doit faire preuve de respect – non pas feint, mais naturel – envers une personne plus âgée.

Soigner la prise de contact

Les personnes âgées peuvent se montrer réticentes à l'égard de l'entretien : en général elles ne sont pas habituées à ce genre d'exercice. D'où la nécessité de prévoir un certain temps pour établir un véritable contact qui leur permettra de mieux se situer, et cela dès le début, en ce qui concerne les fins de la recherche et les attentes de l'intervieweur. Pour ce faire, on suggère souvent à l'intervieweur de choisir un ton aussi éloigné de la condescendance que de la camaraderie. On lui recommande de : 1. se présenter à la personne interrogée en termes très simples, 2. éviter les formules blessantes du genre « Qu'est-ce que cela vous fait de vous voir vieillir ? », comme le proposait, dans son plan d'entretien, un étudiant au début de son doctorat, 3. ne pas craindre de reformuler les énoncés de telle sorte que le sujet en saisisse le sens véritable. Il demeure essentiel, ici aussi, d'utiliser un vocabulaire adapté au niveau de scolarité ou de culture des sujets interviewés.

Prévoir des temps de repos

Certaines personnes âgées ou handicapées se fatiguent plus facilement; il faudra donc prévoir un rythme de travail qui leur convienne. Certaines ont parfois besoin de plus de temps pour formuler leurs idées; il serait donc malvenu de les brusquer dans le but de gagner du temps, d'obtenir *illico* tel ou tel renseignement.

Divers autres aspects sont également à ne pas négliger. L'intervieweur doit ainsi s'assurer d'être audible : vérifier la compréhension de ses questions sur le plan phonétique et ne pas craindre de les répéter si la personne n'en a pas compris le sens. S'il utilise un questionnaire écrit, il lui revient également de s'assurer de sa lisibilité : caractères assez gros, phrases simples, vocabulaire adapté, etc.

En un mot, il s'agit de : 1. poser des questions simples, claires, éviter le style ampoulé, 2. accorder suffisamment de temps à la personne pour qu'elle puisse « ramasser ses idées » en éviter la précipitation, et 3. accueillir avec sympathie les résonances pénibles ou chargées d'émotion qu'évoquent certains souvenirs ou expériences passées.

Dillard et Reilly (1988, p. 168-176) suggèrent des lignes directrices qui complètent cet ensemble de suggestions destinées à faciliter la démarche de l'entretien et à en assurer la valeur. Ces auteurs conseillent à celui qui interviewe des personnes âgées d'écouter attentivement, de poser des questions simples et directes, de garder le contrôle de l'échange et, enfin, d'écouter la perception que la personne âgée a de sa propre situation, de sa propre expérience.

La plupart du temps, l'entretien de recherche constitue une méthode de collecte de données qui convient bien à la situation de la personne âgée. Cette dernière se montre souvent plus à l'aise par rapport à l'entretien que lorsqu'il s'agit de répondre à un questionnaire écrit : elle apprécie la possibilité d'un *feed-back* immédiat sur le sens des questions, elle n'a pas à déchiffrer un langage qui ne lui est pas familier.

Dans tous les cas, il est important d'éviter les stéréotypes. Les particularités de l'entretien auprès de la personne âge tiennent moins, selon Thompson (1986), à l'âge lui-même qu'aux circonstances qui entourent la situation de cette personne : la solitude, le manque de sécurité et l'abandon dans lequel la société la tient.

4.4. L'entretien auprès des personnes handicapées ou en difficulté

Un certain nombre de précautions doivent également être prises quand il s'agit d'interviewer des personnes handicapées ou en difficulté. Il importe effectivement de considérer un ensemble de caractéristiques du sujet : type de difficulté, importance du handicap ou de la difficulté, niveau du risque. L'entretien auprès de ces personnes obéit à un certain nombre de conditions que nous présentons ici brièvement.

Dans tous les cas, il apparaît essentiel de bien se documenter sur le type de difficulté éprouvé par le sujet, afin d'être en mesure de tenir compte du niveau auquel ce dernier se situe (pour la déficience intellectuelle, voir Carrier et Fortin, 1994). Ainsi, un intervieweur qui interroge des personnes handicapées visuelles ou auditives devrait connaître un minimum de choses sur leur vie : il évitera ainsi les erreurs de parcours qui risquent d'indisposer, voire de troubler les personnes interrogées. Quand il s'agit d'une clientèle en difficulté, cette prescription est particulièrement pertinente. Pensons, par exemple, à un entretien avec des personnes qui éprouvent, pour une raison ou pour une autre, des difficultés d'ordre conjugal, familial ou autre, en plus de difficultés économiques. Il se peut que ces personnes veuillent à tout prix orienter la conversation vers le premier type de difficulté, alors que l'entretien était censé porter sur les difficultés d'ordre économique. L'intervieweur doit être en mesure de rétablir le courant sans vexer les répondants; il doit avoir une idée des répercussions des difficultés économiques sur la vie familiale et conjugale, sans pour autant être un expert dans le domaine.

4.4.1. La préparation de l'entretien

Cette phase doit comporter une mise à jour sur le handicap ou les difficultés de la personne interrogée. Ainsi, quand il s'agit d'interroger un enfant, un adolescent ou un adulte qui souffre de retard mental, il apparaît primordial, pour l'intervieweur, de se renseigner sur les principales caractéristiques de cette difficulté ou de ce handicap. De plus, il est indispensable qu'il possède une connaissance assez approfondie des difficultés spécifiques du sujet en question. Barker (1990, p. 4-5) recommande à l'intervieweur de s'interroger sur les préjugés qu'il peut entretenir envers la population qu'il interviewe. Il sera alors plus en mesure d'éviter les biais qui ne pourraient que nuire à la valeur des données colligées.

En somme, la préparation à l'entretien doit être soignée de telle sorte qu'elle assure le succès de l'entreprise, en permettant d'éviter les redites et d'alourdir le processus de collecte de données.

4.4.2. Le déroulement de l'entretien

Bon nombre des recommandations qui se retrouvent sous la rubrique précédente s'appliquent également ici.

Ainsi, la prise de contact est encore un élément déterminant du succès de l'entretien, car, bien souvent, les personnes handicapées ou en difficulté vivent dans un certain isolement. Il est aussi fortement suggéré de tenir compte des différences socioculturelles et du contexte psychosocial dans lequel vit la personne interviewée. N'oublions pas non plus que certains « bénéficiaires » sont soumis à une pléthore de questions et de mesures d'encadrement qui leur font craindre une « intrusion de plus ». En outre, les expériences d'entretien que ces personnes ont vécues étaient liées la plupart du temps à des situations de crise. En ce qui concerne les personnes handicapées sur le plan intellectuel, il est bien évident qu'il faut tenir compte de leur niveau de développement intellectuel.

Une question se pose alors : comment peut-on se comporter dans de telles circonstances ? Disons d'abord qu'il convient de se présenter sobrement et de laisser à la personne interviewée le temps de le faire aussi de la façon la plus simple possible, d'éviter les jugements de valeur et, enfin, de se situer comme intervieweur dans le cadre d'une recherche, afin d'éviter toute ambiguïté. Il peut s'agir tout simplement de bien indiquer les différences entre le type d'entretien de recherche et celui d'aide, et cela avant même de commencer l'entretien.

4.5. Les éléments d'éthique à considérer quelle que soit la clientèle

4.5.1. Les dimensions éthiques

Les personnes interviewées sont, ne l'oublions pas, des êtres humains avec leurs problèmes, leurs préoccupations et leurs champs d'intérêt. Les valeurs de l'intervieweur doivent le moins possible interférer avec celles des interviewés. Ces derniers ont des droits qu'il faut à tout prix respecter : les questions qu'on leur pose ne doivent donc en aucun cas les troubler ou nuire à leur développement.

De plus en plus, les chercheurs se penchent sur les problèmes rattachés à l'éthique. Dans ce domaine, les anthropologues ont été les premiers à donner l'exemple, comme le souligne fort justement Spradley (1979). Rappelons ici les principes de responsabilité professionnelle promulgués dès 1971 par le Conseil de l'Association américaine d'anthropologie. Nous avons déjà signalé ailleurs (Lessard-Hébert *et al.*, 1996) qu'il appartient au chercheur de se renseigner sur le respect des règles de l'éthique liées à l'intervention auprès des personnes qu'il observe ou interroge.

4.5.2. Tenir compte des informants en premier lieu

La responsabilité principale du chercheur en sciences humaines (ou de tout autre spécialiste) est de respecter les personnes qui font partie de son étude. Quand il y a un conflit d'intérêts, ce sont ces individus qui doivent être considérés en premier lieu. Le chercheur doit faire tout ce qui est en son pouvoir pour protéger leur condition physique, sociale et psychologique. En un mot, il doit veiller sur leur honneur, leur dignité et leur intimité.

4.5.3. Sauvegarder les droits, les intérêts et la sensibilité des informants

Quand la recherche implique l'acquisition de matériel et d'information sur la base de la confiance entre deux personnes, il est entendu que les droits, les intérêts et la sensibilité des informants doivent être sauvegardés.

Nous devons, en tant que chercheurs, tenir compte des effets de notre action sur ces divers éléments, même si ces derniers ne sont pas évidents aux yeux des personnes interviewées dans le cadre d'une recherche.

4.5.4. Communiquer les objectifs de la recherche

Les buts visés par la recherche doivent être communiqués à l'informant le mieux possible et le plus tôt possible. Ce dernier a le droit de connaître les buts que vise le chercheur. Il ne s'agit pas, bien sûr, de lui donner un cours sur sa méthode de recherche, mais bien plutôt de lui faire saisir les orientations générales de la recherche et l'importance de la collaboration des personnes qui sont interrogées dans ce cadre.

4.5.5. Protéger l'intimité des informants et leur assurer la confidentialité

Les informants ont le droit le plus strict de demeurer anonymes. Ce droit doit être respecté, qu'il ait été reconnu explicitement ou implicitement par l'intervieweur. Les mêmes dispositions s'appliquent aux données obtenues au moyen d'enregistrements audiovisuels ou autres (entretien en face-à-face, observation participante, etc.). Les informants qui acceptent de participer à une étude doivent être en mesure d'en rejeter ou d'en accepter les résultats et demeurer les seuls juges de ce qui peut enfreindre leur droit au bien-être, à la dignité et à l'intimité. Il revient au chercheur de souligner le fait qu'en dépit de ses efforts il peut arriver que l'anonymat de ses sujets soit compromis dans certains cas. Protéger l'anonymat des sujets dépasse largement les changements de lieux, de noms et d'autres éléments dans le rapport de recherche. Cela consiste également à éviter de dévoiler certains éléments situationnels qui peuvent être trop facilement identifiés. Ce ne sont là que des exigences minimales.

4.5.6. Ne pas exploiter les informants

Une dernière règle éthique concerne l'exploitation possible des informants qui peut se produire, par exemple, dans le cadre d'une recherche sur les comportements d'adolescents. Profiter de ces révélations pour « suggérer » divers types d'interventions psychosociales, thérapeutiques ou autres sans que le besoin s'en fasse vraiment ressentir relèverait de ce type d'exploitation. On pourrait penser également à la divulgation d'adresses au bénéfice de firmes d'assurances ou de divers organismes de publicité ou de collecte de données biographiques.

Plusieurs aspects du processus de recherche donnent effectivement lieu à une interrogation concernant les règles de l'éthique. Citons, à titre d'exemple, les modalités de sélection des sujets, la nature des questions posées, la façon dont se comporte l'intervieweur à l'endroit de l'interviewé, le traitement des données. Chacun de ces points pourrait demander un approfondissement. Disons simplement que cette question est de plus en plus présente dans le discours des chercheurs (Boutin et Durning, 1994, pour ce qui est de l'intervention auprès des familles). Le progrès des connaissances ne saurait se faire au détriment du respect des droits et du bien-être des personnes interrogées dans le cadre d'une recherche.

Conclusion

La prise en compte des caractéristiques de la clientèle dans l'entretien de recherche apparaît passablement négligée, si l'on s'en tient aux ouvrages de méthodologie portant sur l'investigation de recherche. Pourtant, le fait de ne pas tenir compte de façon suffisante de ces caractéristiques, comme nous avons tenté de le démontrer, risque de fausser les résultats mêmes de la recherche. En somme, l'intervieweur ne doit pas se contenter d'axer tous ses efforts vers la seule collecte des données, il lui appartient de veiller au respect des règles déontologiques et éthiques. Tout entretien de recherche, répétons-le, est une rencontre entre deux personnes, et la divulgation de son contenu relève en premier lieu de la personne interviewée, de l'informant.

Toute la démarche de recherche dont nous allons parler maintenant est sous-tendue par la nécessité absolue de respecter cette réalité, cette entente initiale entre chercheurs et informants. De plus, l'adoption de ce point de vue multiperspectiviste (Krathwohl, 1993) permet au chercheur explorant le discours de l'interviewé de confronter sa propre culture avec celle de ce dernier de telle sorte qu'il puisse, comme le souligne Hirschhorn (1991), générer et vérifier, en cours d'entretien, des hypothèses fondées sur sa compréhension des propos recueillis en cours d'entretien. Cette prise en compte de la culture du chercheur, tant personnelle que scientifique, prépare ce dernier à la surprise, à l'étonnement, selon l'expression de Canter-Kohn et Nègre (1991), provoquant chez lui un questionnement enrichissant dans le cadre de sa recherche.

En résumé:

- L'entretien de recherche est une démarche qui exige une bonne connaissance des caractéristiques des personnes interrogées.
- Ce type d'entretien exige de la part de l'intervieweur une bonne connaissance des techniques de communication afin d'être en

mesure de mieux entrer en contact avec la clientèle qu'il interviewe, surtout quand il s'agit de personnes qui éprouvent des besoins spécifiques ou qui sont à risque.

En raison de ces exigences, il est souhaitable que l'intervieweur procède dans un premier temps à des entretiens témoins, afin de mieux se situer par rapport à la problématique d'une clientèle cible. Ces dispositions ne peuvent que contribuer à un meilleur respect des règles de l'éthique.

Références bibliographiques

ASSOR, A. et L. CONNELL (1992). « The Validity of Students' Self-Report as Measures of Performance Affecting Self-Appraisal », dans D.H. SCHUNK et J.L. MEECE, *Student Perceptions in the Classroom*, Hillsdale, Lawrence Erlbaum Associates, p. 25-50.

BARKER, P. (1990). *Clinical Interviews with Children and Adolescents*, New York, W.W. Norton & Co, xv, p. 164.

BLUMENFELD, P.C., V.L. HAMILTON, K. WESSELS, J. MEECE et P. PINTRICH (1982). *Children's Cognitions and Feelings about Classroom Moral, Conventional and Achievement Norms*, New York, p. 43. Présentation à la rencontre annuelle de l'American Educational Research Association.

BOGGS, S.R. et S. EYBERG (1990). « Interview Techniques and Establishing a Rapport », dans A.M. LA GRECA, *Through the Eyes of the Child. Obtaining Self-Reports from Children and Adolescents*, Toronto, Allyn and Bacon, p. 85-108.

BOOK, C.L. et J.G. PUTNAM (1992). « Organization and Management of a Classroom as a Learning Community Culture », dans V.P. RICHMOND et MCCROSKEY, *Power in the Classroom : Communication, Control and Concern*, Hillsdale, Lawrence Erlbaum Associates, p. 19-34.

BOUTIN, G. et P. DURNING (1994). *Les interventions auprès des parents. Bilan et analyse des pratiques socio-éducatives*, Toulouse, Privat.

CANTER-KOHN, R. et P. NÈGRE (1991). *Les voies de l'observation. Repères pour les pratiques de recherche en science humaine*, Paris, Nathan (Nathan-Université).

CARRIER, S. et D. FORTIN (1994). « La valeur des informations recueillies par des entrevues structurées et questionnaires auprès des personnes ayant une déficience intellectuelle : une recension des écrits scientifiques », *Revue francophone de la déficience intellectuelle*, vol. 5, nº 1, p. 29-41.

DILLARD, J.M. et R.R. REILLY (1988). *Systematic Interviewing, Communication, Skills for Professional Effectiveness*, Colombus, Toronto, London, Melbourne, Merrill Publishing Company.

DUBOIS, S. et B. HORVATH (1992). « Interviewer's Linguistic Production and Its Effect on Speaker's Descriptive Style », *Language Variation and Change*, vol. 4, Cambridge, Cambridge University Press, p. 125-135.

ELLIOT, N.S. (1986). « Children's Ratings of the Acceptability of Classroom Intervention for Misbehavior : Findings and Methodological Considerations », *Journal of School Psychology*, vol. 24, n° 1, p. 23-35.

GENDLIN, E.T. (1962). *Experiencing and the Creation of Meaning. A Philosophical and Psychological Approach to the Subjective*, Toronto, Free Press of Glencoe.

GORDEN, R.L. (1987). *Interviewing : Strategy, Techniques and Tactics*, Chicago, The Dorsey Press.

GREENBERG, J. et R. FOLGER (1988). *Controversial Issues in Social Research Methods*, New York, Springer.

HIRSCHHORN, L. (1991). « Organizing Feeling toward Authority : A Case Study of Reflection in Action », dans D.A. SCHÖN, *The Reflective Turn : Case Studies in and on Educational Practice*, New York, Teachers College Press, p. 111-125.

HOUDE, R. (1988). *Les temps de la vie. Le développement psychosocial de l'adulte selon la perspective du cycle de vie*, Montréal, Gaëtan Morin éditeur.

HUGHES, J.N. et D.B. BAKER (1990). *The Clinical Child Interview*, New York, London, The Guilford Press, p. 230. (School Practitioner Series, viii.)

KELLER, J.F. et G.A. HUGHSTON (1981). *Counseling the Elderly : A Systems Approach*, New York, Harper and Row.

KLEIN, E.L. (1987). « How Is a Teacher Different from a Mother ? Young Children's Perceptions of the Social Roles of Significant Adults », *Theory into Practice*, vol. 27, n° 1, p. 36-43.

KRATHWOHL, D.R. (1993). *Methods of Educational and Social Science Research : An Integrated Approach*, New York, Longman.

LA GRECA, A.M. (1990). *Through the Eyes of the Child. Obtaining Self-Reports from Children and Adolescents*, Toronto, Allyn and Bacon, xvii, p. 446.

LESSARD-HÉBERT, M., G. GOYETTE et G. BOUTIN (1996). *La recherche qualitative : fondements et pratiques*, Montréal, Les Éditions Nouvelles.

MCKEOUGH, A. (1993). *Using the Notion of a Central Conceptual Structure to Explain the Development of Children's Understanding of Human Behavior*, New Orleans. Document présenté à la biennale de la Society for Research in Child Development, p. 14.

MOLLO, S. (1975). *Les muets parlent aux sourds. Les discours de l'enfant sur l'école*, Paris, Casterman (coll. Orientations / E3 : enfance, éducation, enseignement), p. 161.

PAUZÉ, É. (1984). *Techniques d'entretien et d'entrevue*, Montréal, Modulo éditeur.

PIAGET, J. (1972). *La représentation du monde chez l'enfant*, Paris, PUF.

PIAGET, J. et B. INHELDER (1966). *La psychologie de l'enfant*, Paris, PUF.

POSTIC, M. (1989). *L'imaginaire dans la relation psychologique*, Paris, PUF. (Pédagogie d'aujourd'hui.)

SMITH, D.C., H.S. ALDERMAN, P. NELSON, L. TAYLOR et V. PHARES (1987). « Student's Perception of Control at School and Problem Behavior and Attitudes », *Journal of School Psychology*, vol. 25, n° 2, p. 167-176.

SPRADLEY, J.P. (1979). *The Ethnographic Interview*, New York, Holt, Rinehart and Winston.

STONE, W.L. et K.L. LEMANCK (1990). « Developmental Issues in Chidren's Self-Reports », dans A.M. LA GRECA, *Through the Eyes of the Child. Obtaining Self-Reports from Children and Adolescents*, Toronto, Allyn and Bacon, p. 18-56.

TAYLOR, L., H. ALDERMAN et N. KASER-BOYD (1984). « Perspectives of Children regarding Their Participation in Psychoeducational Decisions », *Professional Psychology : Research and Practice*, vol. 15, n° 4, p. 882-894.

TAYLOR, L., H. ALDERMAN et N. KASER-BOYD (1985). « Minor's Attitudes and Competence toward Participation in Psychoeducational Decisions », *Professional Psychology : Research and Practice*, vol. 16, n° 2, p. 226-235.

THOMPSON, C.W. (1986). *Age-Related Bias in Survey Research*, California State University, Fullerton, University Microfilms International, N° 1326599.

WERTSCH, J.V. (1985). « La médiation sémiotique de la vie mentale : L.S. Vygotsky et M.M. Bakhtine », dans B. SCHNEUWLY et J.-P. BRONCKART, *Vygotsky aujourd'hui*, Paris, Delachaux et Niestlé, p. 139-168 (Textes de base en psychologie).

Chapitre 5

La conduite de l'entretien

La conduite de l'entretien de recherche a retenu depuis fort longtemps l'attention d'un nombre considérable d'auteurs. Tous suggèrent diverses façons de procéder à une collecte de données effectuée selon ce mode d'investigation. Citons, à titre d'exemple, les travaux de Banaka (1971), de Powney et Watts (1987) et de Trumbull et Johnston (1991). Disons tout de suite que ces « conseils » n'ont pas beaucoup de sens s'ils ne sont pas assortis d'une connaissance la plus approfondie possible du sujet de recherche, des intentions du chercheur, de la méthodologie ainsi que des modalités d'évaluation. Ce mode d'investigation exige en outre une préparation soignée et souvent une autoformation de la part du chercheur qui désire recourir à l'entretien comme instrument de recherche. Il requiert également une bonne connaissance des étapes de l'entretien, dont nous allons tenter de mettre en évidence les principales caractéristiques dans le présent chapitre.

5.1. Le choix des participants

Le choix des participants est souvent l'une des premières difficultés auxquelles fait face le chercheur, et par conséquent l'intervieweur quand il assume également cette fonction. Selon le modèle traditionnel, il revient au chercheur de constituer un échantillon représentatif de la population qu'il désire étudier. Comment procéder dans le cas d'une recherche qualitative qui comporte la tenue d'entretiens de recherche ? À cet égard, les suggestions de Seidman (1991) sont intéressantes et peuvent être utiles au chercheur qui utilise l'entretien dans le cadre de son travail. Cet auteur préconise une démarche qui comporte les étapes suivantes : 1. rejoindre les participants par l'entremise des personnes qui détiennent les clés d'accès (responsables d'établissement, parents, etc.) quand cela est nécessaire; 2. entrer en contact avec les répondants potentiels de la façon la plus personnalisée possible, par une visite sur les lieux au cours de laquelle le chercheur présentera son projet, par exemple; 3. constituer une réserve de candidats potentiels afin de ne pas dépendre de façon absolue de la disponibilité des répondants; 4. effectuer une sélection à partir de critères préétablis. Ce dernier point revêt une très grande importance : on sait effectivement qu'il est souvent difficile, dans le contexte de recherches qui utilisent l'entretien comme outil principal, de procéder à un échantillonnage au hasard. La randomisation exige, comme on le sait, l'existence d'un grand nombre de sujets. De plus, la tenue de l'entretien de recherche repose sur le bon vouloir des participants, ce qui constitue un élément d'autosélection.

On retrouve ici la nécessité de suppléer aux exigences de la représentativité et de la généralisation par une démarche qui fait appel de façon approfondie à l'expérience individuelle du participant. À ce sujet, le débat est encore ouvert : certains chercheurs qui sont plus près d'une position phénoménologique absolue rejettent la notion de généralisation; d'autres, comme Lincoln et Guba (1985), soutiennent qu'il est possible d'atteindre même en qualitatif une certaine forme de généralisation, d'abord en montrant les liens qui existent entre les expériences des divers individus interviewés, ensuite en présentant les histoires de cas des participants à des lecteurs qui sont invités à comparer leurs propres histoires de vie à celles qui sont présentées dans le cadre de l'étude. À cet égard, les travaux de Patton (1989) sont souvent cités. Ils constituent l'une des tentatives les plus valables de mettre en place des techniques de sélection de candidats dans le cadre d'une recherche qualitative qui repose pour l'essentiel sur l'utilisation d'entretiens de recherche. La question de la validité des résultats obtenus est très liée à celle du choix des sujets[1].

Par ailleurs, le nombre de participants pose également problème. Les opinions des spécialistes varient sur cette question. Certains soutiennent que le nombre de personnes interviewées n'a pas tellement d'importance et que la profondeur de la démarche constitue l'élément le plus pertinent à considérer. D'autres, tel Seidman (1991), suggèrent de se donner des balises à partir de critères somme toute assez simples, à savoir : 1. la représentativité suffisante des éléments constitutifs d'une population donnée; 2. la saturation concernant l'information. Dans le premier cas, il s'agit de s'assurer que les caractéristiques d'une clientèle donnée sont prises en considération; dans le deuxième cas, que les informations recueillies sont suffisantes. Ce dernier critère est respecté quand l'intervieweur se rend compte que les données recueillies deviennent redondantes.

5.2. L'établissement des liens entre l'intervieweur et la personne interviewée

Le premier contact entre l'intervieweur et l'interviewé peut se faire, et se fait souvent, par personne interposée. Idéalement, c'est le chercheur qui devrait s'adresser lui-même à la personne qu'il s'apprête à interviewer. Cette disposition, il faut le reconnaître, n'est pas courante en recherche, sauf, très souvent, lorsqu'il s'agit pour l'étudiant de 2e ou de 3e cycle de préparer son échantillon de recherche ou de s'assurer de la collaboration de ses répondants. Dans tous les cas, le contact initial a une grande importance; il peut déterminer toute la suite des opérations. Ainsi, la personne qui établit les premiers contacts, choisit les sujets et donne les indications sur les buts de recherche exerce un certain contrôle sur la suite des opérations.

1. Cette question de la validité des résultats de recherche et de leur généralisation possible est débattue par de nombreux chercheurs qui soulignent la difficulté de juger de la valeur des recherches qualitatives à partir des critères établis selon une conception positiviste. Voir entre autres : PATTON (1989, p. 195-263); LESSARD-HÉBERT *et al.* (1996, p. 41-56); MCCRACKEN (1988, p. 48-52); VAN DER MAREN (1995, p. 80-110).

Cette préparation éloignée à l'entretien ne constitue tout de même pas un obstacle insurmontable. Lors de la première conversation téléphonique ou directe, il convient d'être naturel, de ne pas trop en dire, de ne pas se confondre en explications trop complexes, de ne pas être trop « reconnaissant » si la personne accepte. Il est souvent recommandé de tenir compte de la « culture » de l'interlocuteur, de son âge, de son sexe et de répondre de façon discrète à ses questions : ne pas le précéder, ni le devancer, en un mot, s'adapter à son rythme.

En somme, la prise de contact ne saurait être considérée comme un simple détail administratif; elle donne souvent le ton à la suite des événements. Même s'il convient de ne pas précipiter les choses, il ne s'agit pas de procéder à l'entretien lui-même, auquel cas la « mèche serait éventée » et le client peu motivé à se présenter à l'entretien. Il s'agit à vrai dire d'une conversation initiale qui permet à l'intervieweur de saisir, s'il est attentif et perspicace, les capacités d'expression de son sujet et sa culture. Il lui sera possible également de mesurer tout le chemin à parcourir pour s'adapter à son interlocuteur, pour tenir compte des caractéristiques de ce dernier. De son côté, le sujet découvrira la personnalité de son intervieweur : type d'écoute, capacité de réception, importance qu'il attribue à sa recherche. Ce dernier point revêt une importance capitale. Un trop grand nombre d'intervieweurs sont portés soit à traiter leur interlocuteur de façon distante sous prétexte d'objectivité « professionnelle », soit à jouer la carte de la camaraderie, dans le but de vaincre les résistances. Le ton de la voix, le vocabulaire employé sont également à surveiller de très près : un excès de familiarité ou encore une attitude de politesse surfaite font prendre un mauvais tour à l'échange ainsi amorcé.

Ces nombreux préalables à l'usage de la technique de l'entretien sont souvent soulignés dans les ouvrages de méthodologie portant sur le sujet. Notons, pour mémoire, la nécessité de connaître, du moins dans les grandes lignes, les usages de communication en vigueur dans la population à laquelle appartient la personne qu'on s'apprête à intervieweur. Briggs (1983, p. 255), dans Mishler (1986, p. 164), déclare qu'« un usage adéquat de la technique de l'entretien et de l'analyse des données présuppose une compréhension minimale des normes de communication dans la société concernée ».

L'établissement des liens entre intervieweur et interviewé repose bien évidemment sur une bonne connaissance des principes de la communication interpersonnelle auxquels nous avons consacré une attention particulière dans cet ouvrage[2]. Mais cela ne suffit pas : il est essentiel de connaître les éléments de base concernant la technique d'entretien afin d'être en mesure de l'utiliser avec un maximum d'efficacité.

5.3. Les éléments essentiels relatifs à la technique d'entretien

5.3.1. Les préparatifs immédiats

On ne saurait assez recommander de bien soigner la préparation immédiate de l'entretien. Cette préparation comporte un aspect technique et un aspect psychologique.

Dans un premier temps, il convient de dresser un plan général des questions à poser et de bien mettre en perspective les points essentiels de l'interrogation. Dans un second temps, surtout s'il s'agit d'un entretien semi-structuré, il faudra prévoir l'élaboration d'un guide d'entretien constitué de thèmes écrits à l'avance dans le but de « centrer » l'échange entre l'intervieweur et l'interviewé sur chacun de ces thèmes.

Cet instrument va prendre des formes différentes selon le niveau de directivité de l'entretien envisagé. Dans le cas de *l'entretien de type conversation informelle*, pour reprendre l'expression de Patton (1989), qui se fonde sur les questions qui surgissent au fur et à mesure que l'interaction se poursuit, les points à couvrir en cours d'entretien ne doivent pas forcément être traités dans un ordre séquentiel (linéaire). Le guide sert tout simplement à s'assurer que tous les aspects pertinents sont abordés et traités. L'intervieweur présume alors qu'il existe une information commune qu'il peut recueillir auprès de chaque personne interrogée : il ne s'appuie pas ici sur un ensemble de questions standardisées à l'avance. Il doit alors adapter la formulation et la séquence des questions à chacun des répondants dans le contexte de chacun des entretiens.

---

2. Le chapitre 3 porte précisément sur la communication.

En bref, un guide d'entretien, en ce qui concerne la recherche qualitative, peut être défini comme une *liste de questions ou de thèmes que l'on désire explorer au cours de la rencontre avec le répondant.* Ce guide est préparé dans le but de s'assurer qu'on obtient fondamentalement une information de même densité de la part des personnes qu'on interroge. Il fournit à l'intervieweur des thèmes ou des domaines que celui-ci pourra explorer ou, encore, demander au répondant de clarifier et d'approfondir. Ainsi, l'intervieweur peut élaborer une conversation, poser des questions de façon spontanée, mais en mettant toujours l'accent sur un sujet prédéterminé.

Entre autres avantages le guide d'entretien permet de s'assurer que l'intervieweur utilise au mieux le temps prévu pour la tenue de l'entretien. Il aide à rendre cette démarche auprès de plusieurs personnes plus systématique et complète en délimitant les thèmes à aborder dans le cadre de la rencontre. Cet instrument est également utile pour les entretiens de groupe : il permet de centrer l'interaction tout en favorisant l'émergence des perspectives et des expériences individuelles. Le guide d'entretien peut être plus ou moins détaillé, selon que le chercheur détermine à l'avance les thèmes à couvrir, l'ordre des questions et leur niveau de précision ou qu'il se contente de poser au départ une question ouverte. En un mot, cet instrument est destiné à fournir un cadre à l'intérieur duquel l'intervieweur peut élaborer des questions, les mettre en ordre, prendre des décisions concernant l'information qu'il désire obtenir.

Dans tous les cas, quel que soit le type d'entretien auquel il recourt, l'intervieweur doit soigner sa préparation. Il n'y a rien de plus pénible pour la personne interviewée que de participer à un entretien où l'intervieweur cherche ses mots ou « s'accroche » à sa « feuille de questions ». La familiarisation de l'intervieweur avec le mode de questionnement est aussi importante que la connaissance des grandes lignes de la recherche. Cette disposition fait vraiment partie intégrante du processus général de l'entretien de recherche.

Ici se pose également la question du nombre de sujets à interviewer dans un laps de temps limité. D'où l'importance de prévoir des créneaux assez larges afin d'être en mesure d'éviter la précipitation; on estime en général qu'un entretien peut durer entre quarante-cinq minutes et une heure. Ces dispositions permettent à l'intervieweur de travailler dans un climat positif, constructif, en évitant la fatigue, la nervosité, le manque de « clarté » qui ne peuvent que nuire à la bonne conduite et à la réussite de l'entretien.

Le lieu où se déroule l'entretien est également très important. Il convient évidemment que cette rencontre se déroule dans un cadre sympathique, loin du bruit et de l'agitation. Cette indication peut paraître superflue, mais il n'en est rien. Très souvent ces détails sont négligés. Dans la foulée, on oublie que l'interviewé vit pour la première fois la situation d'entretien et que, par conséquent, il importe de lui rendre l'expérience agréable.

Et que dire des problèmes qui ont trait à l'enregistrement des données ? Là encore, quelques conseils pratiques ne sont pas inutiles. Si l'on travaille dans le contexte d'une université ou d'une autre institution, il convient de réserver à temps les appareils audiovisuels dont on aura besoin (magnétoscopes, magnétophones, etc.) ainsi que de s'assurer de la disponibilité de la pièce dans laquelle doit se dérouler la rencontre. Vérifier si l'appareil est prêt à fonctionner, s'assurer qu'on dispose d'un nombre suffisant de piles de rechange, tester le son du magnétophone, tout cela constitue des précautions de base qu'on est parfois porté à négliger.

Avec la pratique, il faut bien dire que l'enregistrement audioscopique ou magnétoscopique des entretiens devient une routine : cela fait partie du quotidien. Cette façon de faire comporte de grands avantages : elle permet notamment d'entendre et de réentendre à volonté les divers passages de l'entretien, et également de voir et de revoir l'enregistrement effectué au magnétoscope. Dans un cas comme dans l'autre, il devient possible de procéder à une analyse approfondie du matériel recueilli.

Certains auteurs, dont Gorden (1987), recommandent tout de même la prise de notes (sous forme sommaire et codée) en cours d'entretien. Effectivement, il arrive que les interviewés se sentent plus à l'aise avec une telle façon de faire et la préfèrent à l'enregistrement. En outre, le fait de noter peut aussi inciter l'intervieweur à développer une manière plus interactive d'interroger le sujet, à entrer davantage en dialogue avec lui, à tenir compte de certains comportements non verbaux, à effectuer des synthèses à des moments opportuns. Disons que, si l'enregistrement demeure fort utile, il ne saurait se suffire à lui-même et, il faut bien le voir, il risque de cantonner l'intervieweur à un rôle passif. Il en va de même de l'enregistrement magnétoscopique dont l'usage s'est répandu au cours de ces dernières années. Ce procédé, s'il est employé à bon escient, est indispensable quand il s'agit de procéder à une analyse plus fine des comportements non verbaux.

N'oublions pas non plus que le fait d'être « enregistré » ou « vidéoscopé » n'est pas aussi anodin qu'on pourrait le croire *a priori*. Certaines personnes, particulièrement celles qui font partie de clientèles fragilisées ou à risque, craignent d'être ainsi piégées, de laisser des traces qui pourraient se retourner contre elles. Il convient de respecter ce sentiment et, au besoin, de dissiper cette gêne en exposant très clairement, avant le début des rencontres, le bien-fondé d'un enregistrement des entretiens. Ce point peut être abordé quand le chercheur demande à l'interviewé la permission d'enregistrer ses propos. Ce dernier est alors davantage en mesure de demander des explications et de décider de sa participation en toute connaissance de cause. Cette précaution relève des règles déontologiques les plus élémentaires[3].

En outre, il convient de ne pas négliger l'aspect psychologique de la préparation à l'entretien, dont nous avons longuement parlé au chapitre 3 de cet ouvrage. L'intervieweur doit d'abord s'interroger sur sa motivation à mener l'entretien et sur ses attitudes. Il lui est souvent recommandé de « rentrer en lui-même », de mettre de côté ses préoccupations courantes, avant de commencer à interviewer une autre personne. Autrement, cette dernière aura vite saisi son manque de disponibilité et ne se sentira pas disposée à coopérer. Qu'il suffise de rappeler que tout entretien de recherche exige de la part de l'interviewer des qualités humaines essentielles : facilité de contact, empathie, acceptation de l'autre comme personne et non seulement comme source d'information. Sur le plan technique, la préparation doit également être soignée. Comme on peut le voir dans le tableau suivant, cette préparation comporte un bon nombre d'éléments dont il convient de tenir compte.

3. Les questions relatives à la déontologie et à l'éthique ont été abordées au chapitre 4 de cet ouvrage.

TABLEAU 5.1
Préparation technique de l'entretien

Prévoir quelques jours avant l'entretien
– la réservation du matériel nécessaire (magnétophone, cassettes, rallonges, piles, etc.);
– la confirmation de la rencontre (lieu, date, heure);
Vérifier sur les lieux avant l'entretien
– le fonctionnement des appareils et le bon état du matériel (magnétophone, cassettes);
– l'identification codée de la personne interviewée – sur les cassettes;
Avoir sous la main, au moment de l'entretien
– le guide d'entretien;
– le résumé concernant la présentation du projet de recherche;
– le formulaire de consentement (dans le cas où l'aval de l'interviewé n'a pas été obtenu au préalable).

5.3.2. Le début de l'entretien

Avant toute chose, il faut se présenter à la personne interviewée en évitant une trop grande familiarité et exposer en termes très simples l'objet de la recherche et celui de la rencontre. Bien évidemment, il ne s'agit pas de donner alors une leçon sur la méthodologie ou de faire le point sur les recherches en cours dans le domaine concerné. Afin d'éviter de tels glissements, il est recommandé de préparer à l'avance un résumé du projet en question surtout si, comme intervieweur, on n'est pas très au courant de la recherche et de ses objectifs. Même si les personnes interrogées ont reçu de l'information écrite au sujet de la recherche et des attentes des chercheurs envers eux, il arrive assez souvent qu'un bref rappel soit tout à fait indiqué.

Dans le cas de l'entretien en profondeur ou semi-structuré, poser une question ouverte semble être une excellente façon de commencer l'entretien. Le fait de poser, dès le début de la rencontre, une série de questions fermées concernant la date de naissance, l'emploi occupé ou le statut civil, etc., ne va pas sans risque. Cette façon de faire peut bloquer la circularité des échanges entre les deux personnes en présence qui viennent à peine de faire connaissance. Dans de telles circonstances, l'interviewé pourra avoir la désagréable impression d'être pris au piège, de se retrouver un peu devant un tribunal ou en situation de demande d'emploi. Fort heureusement, il existe des manières plus appropriées d'obtenir ces renseignements. On peut, par exemple, reporter cette prise de données à la fin de l'entretien et remplir un questionnaire avec le sujet. Enfin, cette information, utile et nécessaire par ailleurs, est généralement recueillie préalablement lors des premiers contacts avec les personnes à interviewer.

En outre, le fait de poser une question ouverte dès le début de la rencontre donne à la personne interviewée une indication sur la façon de procéder du chercheur. Dans certains cas, par contre, il peut arriver que cette question trouble quelque peu le sujet. Il revient cependant à l'intervieweur de le rassurer. Il peut lui dire, par exemple : « Je comprends que cette question peut vous embarrasser, mais prenez le temps qu'il faut pour y répondre. » Si, malgré cela, il n'obtient pas de réponse satisfaisante de son point de vue, l'intervieweur ne doit surtout pas s'acharner. Il risquerait alors d'enfreindre les règles élémentaires de l'éthique.

Il va sans dire que la question qui « ouvre » l'entretien doit être choisie avec beaucoup de soin. Elle donne souvent le ton à tout le reste de la rencontre et invite à l'échange sur un thème préétabli. Ainsi, si l'intervieweur demande à son interlocuteur : « Comment s'est passé votre stage ? », ce dernier s'attend forcément à ce que ce thème soit exploré au cours de l'entretien. Il existe de fait plusieurs façons de lancer un entretien; elles dépendent évidemment du type de questionnement choisi par l'intervieweur. En qualitatif on évite généralement les questions fermées, toutes préparées à l'avance, parce qu'elles laissent peu de place à l'exploration, à l'élaboration de la pensée, du point de vue de la personne interviewée. Il est bien évident que les modalités de questionnement sont étroitement reliées au problème de recherche comme tel. À cet égard, il est recommandé d'être le plus clair possible en ce qui concerne la nature du problème étudié par le truchement de l'entretien.

De plus, il peut arriver, et il arrive souvent, que l'entretien de recherche soit l'occasion du premier contact entre l'intervieweur et le répondant. Des défenses apparaissent, selon Berent (1966), dès les premiers moments de l'entretien. L'intervieweur ne peut pas ignorer cette réalité, au risque de ne pas arriver à « rejoindre » son interlocuteur. Il doit donc se préoccuper de créer une atmosphère propice à l'échange afin de rassurer l'interviewé. À cet égard, les suggestions ne manquent pas. Ainsi, on conseille souvent de se présenter très simplement, d'exposer de façon succincte le but de l'entretien, d'assurer le sujet de la confidentialité, de rappeler que la participation est volontaire et que le répondant peut très bien décider de ne pas répondre à telle ou telle question et même éventuellement de mettre fin à l'entretien. La question de la durée de l'entretien devrait avoir été réglée au préalable, au moment des premiers contacts téléphoniques. À cet égard, il est indiqué de tenir compte, entre autres choses, de la profondeur de l'investigation, de la disponibilité des répondants, de la fréquence des prises de données. On tient généralement pour acquis qu'un entretien trop court risque de donner des résultats superficiels et peu utiles et qu'un entretien trop long « dégénère » souvent en séance de défoulement. Le lien entre l'intervieweur et le sujet doit être maintenu tout au long du processus d'entretien : les qualités d'empathie, d'attention positive inconditionnelle et de respect ont leur place du commencement à la fin de cette rencontre. Une attention particulière doit être accordée aux aspects non verbaux de la communication : les positions assises (distance), les postures plus ou moins menaçantes, le contact oculaire et les gestes indiquant une écoute active. La prise en compte de ces facteurs permet une meilleure saisie du message et du contexte dans lequel il se situe. L'analyse des résultats de la recherche a alors de fortes chances d'être plus fine, plus poussée.

5.3.3. Le déroulement de l'entretien

En ce qui concerne le déroulement de l'entretien lui-même, il appartient à l'intervieweur de mettre en application un ensemble d'indications éprouvées concernant l'écoute, le silence, le questionnement, la reformulation, l'écho, le reflet et l'amorce de la conclusion. Plusieurs recommandations qui ont trait à ces diverses modalités d'intervention dans le cadre d'un entretien qualitatif se retrouvent dans la plupart des textes portant sur le déroulement de l'entretien. La connaissance de ces règles, somme toute assez simples, mais dont l'impact sur le déroulement de l'entretien est réel, se révèle extrêmement importante.

Savoir se taire : écouter plus, parler moins

Selon Blanchet et Gotman (1992, p. 90), la clé de la méthodologie de l'entretien repose sur la technique de l'écoute. Ces auteurs rappellent fort justement que :

> le pilotage d'un entretien s'effectue [...] à la fois au coup par coup, car l'écoute est diagnostique et entraîne un travail d'interprétation et de problématisation en temps réel, et par anticipation, car le fonctionnement interlocutoire de l'entretien s'effectue dans un système interlocutoire à réponses différées.

En règle générale, les intervieweurs débutants parlent trop, ce qui finit par déposséder le sujet de son importance. Piaget fait remarquer non sans une certaine malice qu'« il est difficile de ne pas parler lorsqu'on pose une question à un enfant (ou à un adulte), surtout si l'on est pédagogue » (Dolle, 1974, p. 22). Développer une écoute « active » est tout un art; cela ne va pas de soi, comme on serait peut-être porté à le penser. Il s'agit d'écouter une personne sans porter de jugement sur ce qu'elle dit et lui refléter ce qu'elle communique, de façon à lui faire saisir que nous avons compris non seulement le contenu de son message, mais également ses sentiments. Certains parlent même d'un comportement, d'une habileté à acquérir. Ce comportement s'exprime de façon verbale par des éléments vocaux (soutiens et encouragements à l'expression, du genre « hum, hum », « je vois »). La reformulation de la dernière phrase est une autre façon de procéder... Une excellente façon de procéder consiste à pratiquer ce genre d'écoute avec un camarade ou avec quelqu'un en qui on a confiance. L'entretien de recherche est selon Mishler (1986) un « événement langagier », ce qui signifie que la construction de sens entre intervieweur et interviewé ne doit pas être prise à la légère : cette construction relève tant de la communication verbale que non verbale. Cette dernière dimension interactive, l'échange entre deux individus, comme le rappelle Knapp (1978), constitue un élément essentiel de toute rencontre humaine.

Tolérer le silence

Le silence est sans doute l'une des choses les plus difficiles à tolérer pour l'intervieweur. Quand la personne qu'il interroge hésite, ne serait-ce qu'un instant, il devient anxieux et se comporte comme s'il considérait ce silence comme une rupture de la communication. Parfois même, déçu de ne pas obtenir une réponse aussi rapidement qu'il le désire, l'intervieweur reformule trop tôt la question, faisant ainsi obstacle ainsi à la communication entre son interlocuteur et lui. Cette reformulation effectuée trop tôt ou mal à propos risque fort de mettre le répondant dans l'embarras : ce dernier peut éprouver le sentiment de ne pas répondre aux attentes de l'intervieweur, d'être incompétent. Rappelons-le, l'interviewé a souvent besoin d'un certain temps de réflexion avant de répondre à une question qui peut être tout à fait nouvelle pour lui.

Ainsi, les pauses, les arrêts, les temps morts font partie intégrante de toute démarche de communication, comme le soulignent fort justement Myers et Myers (1984, p. 193). Il en va évidemment de même pour la situation d'entretien de recherche. Les silences sont utiles : ils ont un sens que l'intervieweur doit apprendre à décoder. Par exemple, un silence très lourd qui suit une question très personnelle, perçue comme trop « intrusive » par l'interviewé, ne doit pas être confondu avec un silence qui permet de reprendre son souffle, de préparer une reformulation. En outre, il convient de ménager des zones de silence lors du passage d'un thème à un autre, de « prendre le temps de respirer », en d'autres termes. Cette façon de procéder est utile; elle permet au répondant de se resituer et à l'intervieweur de se recadrer dans l'ensemble du questionnement.

Enfin, le respect des silences et des pauses contribue à donner à l'entretien un climat de sérénité et d'ouverture. Comme on le sait, tout échange entre deux personnes, et tout entretien *a fortiori*, a son rythme : tantôt le rythme est plus lent, tantôt plus rapide, voire parfois saccadé et ponctué de sourires, de rires ou d'autres manifestations de l'émotivité. En aucun cas ce rythme ne doit être précipité sous le prétexte qu'il faut couvrir tous les aspects d'une question dans un court laps de temps.

Interroger de façon pertinente

C'est un truisme, l'art de poser des questions consiste d'abord à suivre le fil de ce que dit le sujet; il importe donc que ce dernier ait toute la latitude nécessaire pour exprimer sa pensée. Il convient donc de l'écouter avec attention. Contrairement à ce que plusieurs d'entre nous sommes souvent portés à faire dans une conversation courante, dans l'entretien de recherche il est essentiel de ne pas se substituer à l'interlocuteur. Même si l'intervieweur se présente à l'entretien avec une question de base qui établit le but et le « focus » de l'entretien, c'est en réponse à ce que dit le sujet qu'il poursuit son travail, demande des clarifications, recherche des détails concrets et sollicite des commentaires.

Savoir questionner[4], c'est savoir obtenir l'information recherchée. Il ne s'agit pas seulement de permettre à la personne interrogée de s'exprimer. Dans certains cas, quand on a affaire à un « verbo-moteur », il faut savoir endiguer ce flot de paroles, « pousser l'investigation en fonction du but à atteindre ». Il arrive souvent que le sujet s'exprime en termes de comportements : « J'ai fait ceci ou cela… » Or, la simple énumération de comportements ne permet pas de connaître de façon explicite les opinions de la personne interrogée. L'intervieweur doit donc insister s'il désire obtenir des réponses complètes aux questions qu'il pose. Dans ce dessein même, il lui faut noter, dès la préparation du plan de l'entretien, les éléments d'entrée qui lui paraissent utiles à la bonne marche de son interrogation. Il peut s'agir de faits, de comportements, de valeurs, d'opinions, d'états affectifs. Dans tous les cas, l'intervieweur doit être attentif à l'expression verbale et non verbale, quand cela est possible, et vérifier si elle comporte les éléments qui l'intéressent dans sa recherche. Au besoin, il lui appartient de préciser sa question, de reformuler la réponse de son interlocuteur, afin de mieux saisir la pensée de ce dernier et d'obtenir les renseignements désirés. La plupart du temps, on est porté à interroger les répondants de la même façon qu'on interroge les autres dans la vie courante, d'où l'importance de se pencher sur ses façons habituelles de poser des questions dans le but d'obtenir une réponse. Cette attitude ne peut qu'être bénéfique à un apprentissage plus raffiné de l'art de l'interrogation.

Savoir questionner, c'est aussi savoir choisir, quand il s'agit d'un entretien de recherche à questions ouvertes ou de style non directif, parmi les questions qui viennent à l'esprit. Toutes ces questions ne sont pas forcément bonnes à poser. Il est alors fortement suggéré à l'intervieweur d'adapter ses questions et ses stratégies au contexte de l'entretien, aux réactions de l'interviewé, en un mot, à la situation telle qu'elle se présente. Encore une fois, l'intervieweur a tout intérêt à s'être assez longuement entraîné aux techniques de base de la communication.

Savoir reconnaître les résistances

En cours de travail, l'intervieweur peut rencontrer un certain nombre d'obstacles, dont le refus de coopérer de la part de l'interviewé n'est certes pas le moindre. Il arrive effectivement que le sujet évite de

4. Savoir questionner est un art complexe et exigeant, d'où la nécessité pour l'intervieweur de bien se préparer sur ce point (voir TRUMBULL et JOHNSTON, 1991).

répondre à telle ou telle question ou encore s'emmêle dans des explications peu convaincantes. L'intervieweur doit être attentif à ce phénomène. Il lui faut être en mesure de décider très rapidement s'il est préférable d'insister ou s'il convient tout simplement de noter ce comportement. Dans certains cas, le fait de souligner ce qui se passe peut être utile : il s'agit alors tout simplement de signaler cette difficulté, mais sans insister outre mesure. Assez souvent, dans une telle occasion, le sujet décide de dire pourquoi telle ou telle question l'embarrasse; il peut même aller jusqu'à proposer une formulation avec laquelle il se sentirait plus à l'aise. On peut, par exemple, attirer l'attention de la personne interrogée sur le fait qu'elle semble avoir de la difficulté à répondre à cette question-là. Si elle parle d'autre chose, prend beaucoup de détours ou s'énerve, il peut être utile de lui rappeler qu'il n'y a pas de bonnes ou de mauvaises réponses. On peut lui demander, par exemple : « Qu'est-ce qui se passe avec cette question ? Est-ce qu'elle vous dérange ? En quoi ? Est-ce qu'il y a quelque chose de difficile dans cette question ? »

Dans ce domaine comme dans bien d'autres, la prévention est bonne conseillère. Comme le suggère Daunais (1984), il convient de susciter l'intérêt du répondant dès le début de la recherche, en ayant bien soin de se présenter soi-même, de clarifier les buts de sa démarche en termes accessibles à la personne interrogée. L'adhésion du sujet sera ainsi facilitée. Cela ne veut pas dire qu'il faille user d'acharnement : agir en ce sens risquerait à indisposer l'interwiewé et serait contraire à l'éthique.

Ce bref aperçu des règles de base, en ce qui a trait à la conduite de l'entretien, donne une idée de l'ampleur du sujet. Ces règles varient comme nous pouvons le voir selon que l'on mène un entretien de type semi-structuré ou encore structuré. Dans le premier cas, les suggestions de Powney et Watts (1987) sont éclairantes et souvent citées. Ces auteurs recommandent à l'intervieweur :

1. d'utiliser des questions ouvertes;
2. de permettre que le format de l'entretien soit dicté par les préoccupations soulevées par les sujets (notamment les enfants), devançant les points prévus au départ, s'il le faut, pour clarifier la question, donner des exemples, approfondir une idée;
3. d'employer le vocabulaire du sujet ainsi que des techniques de paraphrase et de réflexion;

4. d'exprimer de l'intérêt, de l'empathie et une acceptation positive verbalement, en évitant les interruptions, les rappels à l'ordre. Il convient de montrer de la patience et un certain humour.

Il est intéressant de comparer ce point de vue avec celui de Brenner (1981), en ce qui concerne l'entretien structuré ou standard. Cet auteur propose de suivre les règles suivantes dans le déroulement de ce type d'entretien[5] :

- lire les questions telles qu'elles sont écrites dans le questionnaire;
- poser au sujet chaque question qui le concerne;
- utiliser des images incitatives (*prompt cards*) et d'autres instruments si c'est nécessaire;
- interroger de façon non directive;
- s'assurer que la personne interrogée a parfaitement compris la question qu'on lui a adressée et que sa réponse est adéquate;
- ne pas répondre à la place du répondant;
- ne pas donner d'information de façon directe;
- éviter de donner une information non pertinente;
- répéter une question ou une indication à la demande du répondant;
- quand la personne interviewée demande une explication, ne pas la donner de façon directe;
- procéder de façon non directive pour obtenir une réponse adéquate quand on vous a répondu de manière inappropriée.

Ces règles concernant la conduite de l'entretien de recherche ont été reprises maintes fois par plusieurs méthodologues dont nous avons cité les travaux au long de cet ouvrage; elles illustrent des préoccupations très variables chez ceux qui les ont énoncées. Ainsi, Powney et Watts s'inspirent d'un paradigme qualitatif, Brenner, davantage d'un paradigme positiviste. La plupart du temps, les vues des méthodologues reflètent les préoccupations des tenants de l'approche traditionnelle à l'égard de l'entretien de recherche. En revanche, pour les chercheurs qui se rattachent à la démarche qualitative cette façon de faire « prescriptive », si elle est sécurisante, notamment quand on pos-

5. Il faut bien noter ici qu'il s'agit de règles concernant en premier lieu l'entretien de type structuré. Voir le chapitre 2 de ce livre pour un aperçu des divers types d'entretiens de recherche.

sède peu d'expertise dans le domaine concerné, peut conduire l'intervieweur à limiter le discours du répondant. Là encore, il faut prendre en considération le but poursuivi : ce dernier est directement lié au mode de questionnement utilisé dans les entretiens.

Afin de mieux saisir la situation du chercheur qui doit choisir entre les deux modalités de collecte de données dont nous venons de parler, il nous paraît utile de mettre en parallèle les modalités les plus courantes d'interrogation, soit les questions ouvertes et les questions fermées (tableau 5.2).

TABLEAU 5.2
Les caractéristiques des deux modes d'interrogation : questions ouvertes et questions fermées

Questions ouvertes	Questions fermées
– Permettent à la personne interrogée de répondre elle-même dans ses propres mots.	– Permettent aux personnes interrogées de répondre à la même question, de sorte que les réponses obtenues peuvent être comparées les unes aux autres.
– Ne suggèrent pas de réponses, mais donnent des indications quant au niveau d'information de la personne interrogée sur ce qui est central dans son esprit, sur la force de ses sentiments.	– Produisent des réponses moins variables que dans le cas des questions ouvertes.
– Évitent l'effet des cadres préétablis.	– Demandent des répondants une reconnaissance plutôt qu'un rappel. Elles exigent de ce fait un effort moindre que les questions ouvertes.
– Permettent d'identifier les influences et les cadres de référence en ce qui touche les motivations du sujet.	– Produisent des réponses qui sont plus faciles à informatiser et à analyser.
– Constituent une étape nécessaire avant l'élaboration de questions fermées.	
– Aident à l'interprétation des réponses déviantes à des questions fermées.	

Depuis de nombreuses années, ces divers modes de questionnement reçoivent une attention accrue de la part des chercheurs, quelle que soit leur allégeance à un paradigme ou à un autre, les uns pour se rapprocher d'un plus grand contrôle, les autres pour s'en éloigner. Il est facile de constater que l'interrogation fondée sur les questions ouvertes est plus courante chez les tenants de l'approche ethnographique ou phénoménologique, alors que celle fondée sur des questions fermées est plus habituelle chez les chercheurs qui s'inspirent d'une approche positiviste. Néanmoins, plusieurs méthodologues recourent à une combinatoire de questions ouvertes et de questions fermées. Il semble de plus en plus reconnu que des entretiens en profondeur doivent précéder l'usage de questions fermées du genre choix multiple ou autres, de telle sorte que les catégories de réponses reflètent la réalité des répondants plutôt que celle des chercheurs.

Comme on peut le voir, les modalités d'interrogation de type qualitatif demeurent un sujet tout à fait d'actualité, bien qu'elles aient fait l'objet de nombreuses recherches et analyses jusqu'ici. Citons, à titre d'exemple, le travail de Foddy (1993, p. 1) sur la théorie et la pratique en sciences sociales. Cet auteur, après avoir recensé plusieurs travaux et analysé les effets de divers types de questions sur le comportement de clientèles cibles, déclare que l'usage des données verbales demeure encore à l'avant-scène de la recherche dans le domaine concerné. Contrairement à ce qui se passe dans le contexte de l'entretien de type S-R ou classique, l'entretien de recherche de type qualitatif doit être considéré comme un événement de communication. Il est très souvent recommandé d'être attentif à la part de l'intervieweur, qui revêt ici une très grande importance. La façon dont ce dernier entre en relation avec la personne qu'il interroge et maintient ce lien constitue à n'en pas douter le cœur même de tout entretien de recherche, et encore plus s'il s'agit d'un entretien de type qualitatif.

Être attentif à son système de codage et à celui de l'interviewé

Comme le soulignent Holstein et Gubrium (1995), l'intervieweur et l'interviewé s'engagent lors de l'entretien dans une expérience de codage. Contrairement à ce qui se passe dans l'entretien standardisé, un codage actif prend place dès le début de l'échange et se déroule tout au long du processus, non pas juste avant et après. L'exemple que donnent ces deux auteurs est éclairant. Lorsqu'un intervieweur interroge un répondant sur ses *styles parentaux*, sur la façon dont il élève ses enfants, il constate vite que ce dernier marque le pas, en quelque sorte, et tente de satisfaire l'interrogation de l'intervieweur. Il faut noter ici que l'intervieweur joue, comme on l'a dit, un rôle actif en demandant des éclaircissements sur tel ou tel point. À cet égard, il ne lui appartient pas de mettre les mots dans la bouche du répondant, mais bien plutôt d'être attentif à son système de codage. Dans un entretien actif, l'intervieweur doit être en « état de veille », afin de pouvoir prendre en considération ses propres schèmes de codage et leur effet sur la réponse de l'interviewé. Ce n'est donc pas tout de rapporter ce que l'interviewé a dit au cours de la rencontre; il faut aussi cerner ce qui a été construit autour de la question initiale par le répondant à partir du sens qu'il a saisi dans un premier temps. Les intervieweurs et les interviewés construisent, selon ces mêmes auteurs, les sens du discours narratif qui ressortent de l'entretien. L'analyse des effets de l'interaction entre l'intervieweur et l'interviewé doit être menée parallèlement à toute collecte de données. Comme le souligne Chauchat (1985), laisser le hasard régler cet aspect de l'observation revient à faire comme si tous les intervieweurs étaient équivalents. Or, on le sait, toute interaction est unique et marquée de caractéristiques personnelles dont il faut tenir compte.

La conduite de l'entretien de recherche repose pour une large part sur l'intervieweur. Ce dernier, à partir des questions qu'il pose, guide le déroulement de l'entretien; il peut diriger la personne qu'il interroge vers telle ou telle piste, l'encourager à faire tel ou tel lien. Il contribue donc à la fabrication du discours du répondant. Dans certains cas, la question du vocaculaire employé peut conduire à divers malentendus. Certains concepts évoquent des réalités différentes chez chacun des protagonistes. De là l'importance, pour l'intervieweur, de bien cerner la résonance des réalités auxquelles fait allusion le répondant.

En cours d'entretien, l'intervieweur doit donc assumer un certain nombre de tâches que l'on peut résumer ainsi à partir du point de vue de Brimo (1972, p. 217) :

> a) vaincre le système de défense de l'interviewé; b) assurer son interlocuteur du caractère confidentiel de l'entretien; c) utiliser au mieux les facteurs qui peuvent inciter l'interviewé à répondre de façon adéquate; d) chercher à obtenir des réponses complètes; e) noter ou enregistrer fidèlement les réponses obtenues et, enfin, f) remercier le sujet et lui demander ses commentaires sur la façon dont il a vécu cette expérience.

Procéder à la mise au point ou à la reformulation générale

Lorsque l'entretien marque un point mort ou tire à sa fin, l'intervieweur profite de cette occasion pour effectuer un résumé sommaire des points abordés au cours de la rencontre. Il faut noter ici que lorsqu'il s'agit d'un entretien comportant plusieurs thèmes – ce qui est souvent le cas – cet exercice peut être effectué à la suite de chacun des thèmes, afin de faciliter le passage de l'un à l'autre. Une fois ce résumé présenté, on invite le sujet à compléter, à corriger au besoin. Il s'agit d'un moment important dans l'ensemble de l'entretien, car il exprime souvent le degré de confiance qui s'est établi entre les deux personnes en présence. Il permet à l'intervieweur de faire préciser tel ou tel point demeuré plus obscur, de vérifier si tous les aspects explorés l'ont été avec suffisamment de profondeur pour qu'on puisse en tirer profit.

Enfin, avant de conclure l'entretien, il est utile de demander à la personne qu'on vient d'interroger si elle a quelque chose à ajouter, si elle a d'autres renseignements à transmettre qu'elle aurait pu oublier ou que l'interview n'aurait pas permis de toucher. Cette phase de l'entretien est capitale : il arrive que c'est à ce moment précis que des aspects essentiels apparaissent, permettant souvent de recadrer plusieurs des données recueillies plus tôt.

Comment conclure un entretien

En fin de parcours, lorsqu'il s'agit de clore l'entretien, il est souvent recommandé à l'intervieweur de ne pas brusquer les choses et surtout de voir à récapituler, du moins dans les grandes lignes, les étapes parcourues au cours de l'entretien. Dans certains cas, une reformulation des points essentiels peut très bien suffire si elle permet de « vérifier » le niveau de saisie de la part des protagonistes. Cette façon de faire sert à préparer de façon naturelle l'entretien suivant, le cas échéant.

Mais l'aspect technique ne suffit pas; il faut également clore l'entretien sur le plan « interrelationnel ». À cet égard, Pourtois et Desmet (1988, p. 133) font justement remarquer qu'« il est toujours utile, à l'issue de l'entretien, d'obtenir des renseignements sur la façon dont l'interviewé a vécu cette entrevue. À côté de l'aspect humain que revêt cette démarche, elle peut être aussi d'un grand intérêt pour l'analyse des données recueillies ». Grawitz (1986, p. 731), pour sa part, suggère de terminer la rencontre « en demandant à l'enquêté ce qu'il en pense, s'il aurait ajouté ou supprimé certaines questions ». De plus, Powney et Watts (1987), à l'exemple de plusieurs autres auteurs, recommandent de clore l'entretien en remerciant par une appréciation chaleureuse et communicative la personne interrogée pour sa participation. Si l'interviewé exprime de l'inquiétude quant à ce qu'il adviendra de ce qu'il a dit, il est important de le rassurer sur la confidentialité de l'entretien.

Par ailleurs, si la personne interviewée demande de l'aide sur le plan personnel, l'intervieweur aura intérêt à ne pas transformer son entretien de recherche en entretien de soutien. Il pourra éventuellement suggérer un suivi thérapeutique dans les cas où une telle démarche lui paraît indiquée ou nécessaire. À cet égard, il faut rappeler qu'avant toute conduite d'entretien il faut prendre des dispositions afin de pouvoir aider le sujet si l'entretien de recherche risque de faire resurgir chez ce dernier un sentiment, une émotion, qui appelle une aide que l'intervieweur n'est pas en mesure de fournir.

En aucun cas l'entretien ne doit se clore de façon abrupte, ce qui arrive trop souvent hélas ! Une telle façon de procéder laisse souvent la personne interviewée avec un sentiment négatif : « Je lui ai confié des choses très personnelles et voici tout le respect et l'attention que je reçois », entend-on parfois. On suggère de plus en plus de recourir à la technique du *debriefing*, qui consiste précisément à recueillir de la part de l'interviewé son sentiment en ce qui concerne l'expérience qu'il vient de vivre. Il faut bien reconnaître que tout entretien comporte sa part de réaction psychologique et vérifier comment le sujet s'est senti à tel ou tel moment de l'entretien. Le fait de favoriser chez le répondant l'expression de ses sentiments permet à l'intervieweur d'apporter un soutien auquel la personne interrogée a droit.

C'est à cette étape, encore plus qu'aux autres, que l'intervieweur doit tenir compte de ses limites. Il doit savoir quand diriger le client vers un service spécialisé, quand terminer l'entretien, quand explorer une situation significative sur le plan émotif ou cognitif et quand éviter d'intervenir dans des domaines qui ne relèvent pas de sa compétence. Il doit savoir également intervenir en temps approprié, ni trop tôt ni trop tard.

Conclusion

L'entretien de recherche, en ce qui concerne son déroulement et tous les autres aspects dont nous avons parlé jusqu'ici, constitue un mode d'investigation beaucoup plus complexe qu'il y paraît à première vue. Il comporte bon nombre de difficultés, tant en ce qui a trait à sa préparation qu'à son déroulement. Cette technique met en branle un ensemble de systèmes de valeur, de représentations, voire de symboles propres à la culture des personnes interrogées aussi bien qu'à la culture de ceux qui sont chargés, par leurs fonctions, de recueillir des informations sur un ou des aspects particuliers.

Dans une telle perspective, il n'est pas étonnant que la conduite de l'entretien repose sur un ensemble de conditions portant à la fois sur la formation de l'intervieweur, sur le contexte dans lequel se déroule l'entretien ainsi que sur son déroulement même.

En premier lieu, il convient de s'interroger sur la compétence de l'intervieweur, sur sa connaissance de la culture de la personne interviewée, de même que sur sa capacité à saisir les dimensions extrêmement complexes de l'interaction entre lui et la personne qu'il interviewe. Le contexte dans lequel se déroule l'entretien doit également retenir notre attention : la préparation de la rencontre, la façon dont elle se déroule et se termine sont autant d'éléments essentiels. Enfin, il importe de rappeler la nécessité de recadrer l'entretien de recherche par rapport à sa spécificité. Cette technique possède l'avantage de découvrir, de façon plus poussée que le simple questionnaire de recherche, les véritables motivations du sujet ou d'autres caractéristiques plus intimes. En effet, elle constitue grâce à l'observation *in situ* et à l'approfondissement des questions une méthode privilégiée de collecte de données qu'on ne saurait obtenir par d'autres moyens. De plus, si l'intervieweur connaît bien son métier, il lui sera possible de moduler son questionnement de telle sorte qu'il en arrive, grâce à sa compétence, à obtenir la collaboration du sujet. Celui-ci deviendra alors, pour ainsi dire, un collaborateur et non pas un simple « réacteur », comme cela se produit souvent dans une simple enquête par questionnaire.

Nous avons constaté que le choix du mode d'interrogation dépend, dans une large part, des capacités de l'intervieweur, des personnes interrogées et, bien évidemment, de l'objectif visé. Ainsi, l'entretien de type non directif exige de la part de la personne qui est interrogée une bonne capacité d'empathie et d'expression. Il en va de même pour ce qui est de l'entretien semi-structuré, mais dans une moindre mesure. En revanche, dans le cas de personnes éprouvant des difficultés sur les plans cognitif et expressif, il convient, semble-t-il, de s'en tenir à des questions plus fermées.

En somme, il importe que le chercheur apprenne à dépasser le simple plan technique de l'entretien pour en arriver à situer son intervention dans une perspective plus globale, qui comprend des paramètres non prévus au départ et une vision générale de la démarche empruntée.

Les diverses étapes dont nous venons de brosser les grandes lignes font partie intégrante d'un même processus dont le tableau 5.3 donne un aperçu général.

TABLEAU 5.3
Tableau synthèse de la conduite de l'entretien de recherche

a) La préparation de l'entretien
  - se renseigner sur les objectifs de la recherche, sur la situation personnelle et sociale de l'interviewé, sur le contexte dans lequel doit se dérouler la séance;
  - bien expliquer à l'interviewé le but de l'entretien;
  - lui assurer la confidentialité et l'anonymat;
  - le renseigner sur la durée de l'entretien;
  - se présenter soi-même comme non jugeant et empathique, démontrer une acceptation inconditionnelle.

b) Le déroulement de l'entretien
  - s'assurer que l'entretien se déroule dans un climat et un contexte rassurants et confortables, en privé et à l'abri des interruptions;
  - porter attention aux éléments non verbaux qui se présentent au cours de l'entretien : contact visuel, geste, chaleur personnelle et empathie;
  - formuler des questions ouvertes;
  - utiliser le vocabulaire de l'interviewé;
  - démontrer de l'intérêt, de l'empathie en évitant les interruptions;
  - faire preuve de tolérance devant le silence et les hésitations.

c) La conclusion
  - effectuer une synthèse des éléments recueillis et les soumettre à l'interviewé afin de vérifier si l'on a bien saisi ce qu'il a exprimé;
  - terminer les entretiens avec chaleur et en communiquant son appréciation.

Inspiré des suggestions de MAYER ET OUELLET, 1991, p. 331.

Références bibliographiques

BANAKA, W.H. (1971). *Training in the Depth Interviewing*, New York, Harper and Row.

BERENT, P.H. (1966). « The Technique of the Depth Interview », *Journal of Advertising Research*, vol. 6, n° 2, p. 32-39.

BLANCHET, A. et A. GOTMAN (1992). *L'enquête et ses méthodes : l'entretien*, Paris, Nathan (Nathan-Université).

BRENNER, M. (1981). « Skills in the Research Interview », dans M. ARGYLE (dir.), *Social Skills and Work*, London, Methuen, p. 28-58.

BRIGGS, C.L. (1983). « Questions for Ethnographer : A Critical Examination of the Role of the Interview in Fieldwork », *Semiotica*, vol. 46, p. 233-261.

BRIMO, A. (1972). *Les méthodes des sciences sociales*, Paris, Montchrestien.

CHAUCHAT, H. (1985). « L'entretien de recherche », dans *L'enquête en psychosociologie*, Paris, PUF, p. 143-178.

DAUNAIS, J.-P. (1984). « L'entretien non directif », dans B. GAUTHIER (dir.), *Recherche sociale. De la problématique à la collecte des données*, Sainte-Foy, Presses de l'Université du Québec, p. 247-275.

DOLLE, J.-M. (1974). *Pour compendre Jean Piaget*, Toulouse, Privat. (Pensée.)

FODDY, W. (1993). *Constructing Questions for Interviews and Questionnaires, Theory and Practice in Social Research*, Cambridge, Cambridge University Press.

GORDEN, R.L. (1987). *Interviewing : Strategy, Techniques, and Tactics* (4e éd.), Chicago, The Dorsey Press.

GRAWITZ, M. (1986). *Méthodes des sciences sociales* (7e éd.), Paris, Dalloz.

HOLSTEIN, J.A. et J.F. GUBRIUM (1995). *The Active Interview*, Thousand Oaks, Sage University Papers.

KNAPP, M.L. (1978). *Non-Verbal Communication in Human Interaction*, New York, Holt, Rinehart and Winston.

LESSARD-HÉBERT, M., G. GOYETTE et G. BOUTIN (1996). *La recherche qualitative : fondements et pratique*, Montréal, Éditions Nouvelles.

MAYER, R. et F. OUELLET (1991). *Méthodologie de recherche pour les intervenants sociaux*, Montréal, Gaëtan Morin éditeur.

MCCRACKEN, G. (1988). *The Long Interview*, Newbury Park, Beverly Hills, London, Sage University Papers.

MYERS, G.E. et M.T. MYERS (1984). *Les bases de la communication interpersonnelle*, Montréal, Toronto, McGraw-Hill.

MISHLER, E.G. (1986). *Research Interviewing, Context and Narrative*, Cambridge, London, Harvard University Press.

PATTON, M.Q. (1989). *Qualitative Evaluation Methods*, Beverly Hills, London, Sage Publications.

POURTOIS, J.P. et H. DESMET (1988). *Épistémologie et instrumentation en sciences humaines*, Bruxelles, Pierre Mardaga, éditeur.

POWNEY, J. et M. WATTS (1987). *Interviewing in Educational Research*, London, Routledge and Kegan Paul.

SEIDMAN, I.E. (1991). *Interviewing as Qualitative Research*, New York, Teachers College Press.

TRUMBULL, D.J. et S.M. JOHNSTON (1991). « Learning to Ask, Listen, and Analyze : Using Structured Interviewing Assignments to Develop Reflection in Preservice Science Teachers », *International Science Education*, vol. 13, nº 2, p. 143-158.

VAN DER MAREN, J.M. (1995). *Méthodes de recherche pour l'éducation*, Montréal, Presses de l'Université de Montréal.

Chapitre 6

La collecte, l'analyse des données et la rédaction du rapport de recherche

Les résultats de recherche obtenus à la suite d'entretiens exigent un traitement différent selon qu'il s'agit d'une technique d'interrogation de type structuré, semi-structuré ou en profondeur. Dans le premier cas, le traitement des données se rapproche sensiblement de celui des données colligées à la suite de la passation d'un questionnaire. En revanche, il en va autrement quand l'entretien est de type qualitatif: semi-structuré ou en profondeur. Ce dernier mode de collecte de données exige une méthode particulière en ce qui concerne non seulement le traitement des résultats, mais également leur mise en forme et leur rédaction sous forme de rapport de recherche.

Comme nous l'avons souvent rappelé, le chercheur en qualitatif est présent à chacune des étapes du processus de recherche; le processus qu'il adopte est de type circulaire et non linéaire. Cette dimension que plusieurs ont qualifiée de holistique, en ce sens qu'elle ne perd pas de vue tous les éléments de base d'une situation donnée, demande que le chercheur apporte une attention soutenue au déroulement de la recherche; une telle démarche exige beaucoup de travail et de soins. Il est faux de croire que la recherche qualitative exige moins d'efforts de la part du chercheur que la recherche classique ou quantitative. L'une comme l'autre requiert une préparation souvent de longue haleine de la part du chercheur et, bien évidemment, des dispositions naturelles dont la créativité et l'esprit critique ne sont pas les moindres.

6.1. La collecte et l'analyse des données

Dans la pratique, il semble plutôt difficile de séparer ces deux opérations que sont la collecte et l'analyse de données. En effet, avant même le début de l'entretien, le chercheur a déjà en tête une idée de ce qui pourrait se produire au cours de l'entretien. En cours de route, il fait inévitablement référence à ce qu'il sait ou apprend sur les thèmes abordés par les sujets. Cette intrication entre collecte et analyse est même recommandée par certains chercheurs en qualitatif (Miles et Huberman, 1984; Lincoln et Guba, 1985). Ces derniers suggèrent au chercheur d'effectuer des entretiens «pilotes», de les analyser; de là, ils pourront restructurer de nouvelles questions en s'inspirant de ce nouveau savoir pour la conduite d'entretiens ultérieurs.

Toutefois, même si cette façon de faire est de plus en plus courante, il reste qu'il convient d'éviter de trop approfondir l'étude de quelques entretiens avant d'avoir pris connaissance de l'ensemble du matériel. Autrement, le risque serait grand de prendre la partie pour le tout et de négliger l'apport d'une prise de conscience plus globale des résultats obtenus. À vrai dire, la ligne de conduite la plus souvent recommandée consiste à lire de façon globale les données recueillies en évitant, dans un premier temps du moins, de trop s'attarder à des configurations particulières. Cette précaution permet au chercheur d'éviter des biais qui ne pourraient que nuire à la valeur intrinsèque de la recherche.

6.2. L'organisation des données

L'accès direct aux renseignements recueillis suppose une organisation des données tout à fait rigoureuse. À cet égard, la plupart des spécialistes suggèrent au chercheur de recourir à un procédé qui lui permet d'avoir à sa disposition les renseignements d'usage concernant les dossiers de recherche des sujets soumis à l'investigation, de telle sorte qu'il puisse consulter les données recueillies tout au long de son travail d'analyse. Il va évidemment de soi qu'un système adéquat de classification et de repérage assure une meilleure conduite de la recherche et évite la perte de temps.

En effet, il peut arriver qu'en cours de route le chercheur ait besoin de vérifier tel ou tel détail relatif à sa collecte de données. S'il lui faut reprendre les opérations du début à la fin pour retracer l'élément qui l'intéresse, on peut facilement imaginer quelle perte de temps et quelle dépense d'énergie cela peut représenter. En un mot, une bonne organisation des données contribue manifestement à l'efficacité du travail de recherche, en plus de donner au chercheur l'assurance de ne rien oublier en cours de route.

6.3. Les questions relatives à l'enregistrement et à la transcription des données

En ce qui concerne l'enregistrement et la transcription des données, les suggestions ne manquent pas (Bogdan et Taylor, 1975; Lincoln et Guba, 1985; Patton, 1989; Brenner *et al.*, 1985). Tous s'entendent sur le fait qu'il convient de transformer le plus fidèlement possible l'expression orale des sujets en une expression écrite. Cette transformation n'est pas facile, car elle repose sur un travail d'élucidation et de clarification qui s'appuie en dernière analyse sur la « conscience » du chercheur ou de l'analyste, en définitive sur sa capacité d'analyse et de synthèse.

On comprend dès lors la nécessité de conserver l'expression initiale des sujets, afin de pouvoir y avoir recours dès que le besoin s'en fait sentir. Comme nous l'avons souligné précédemment, plusieurs intervieweurs objectent que les participants n'aiment pas être enregistrés. Or, il leur revient de dissiper cette crainte en indiquant à la personne qu'ils interrogent que le contenu de cette cassette sera traité selon les règles de l'éthique. Dans certains cas un essai de voix permet de démystifier la situation, notamment quand l'entretien s'effectue auprès de jeunes enfants ou de personnes en difficulté.

Quant à la question de la transcription *verbatim*, elle demeure une entreprise souvent longue et fastidieuse. Aussi est-il recommandé, quand la chose est possible, de recourir à un programme informatisé[1] qui permet souvent de simplifier l'opération. Bien utilisé, ce genre de programme permet de repérer facilement les passages significatifs qui intéressent davantage le chercheur ou l'analyste de données. Ce type d'instrument est actuellement en pleine expansion. Il est facile d'imaginer qu'une telle pléthore d'outils techniques exerce une influence importante sur la façon dont on classe et repère les données recueillies par le truchement d'entretiens de recherche, entre autres. Le risque est grand cependant de négliger l'analyse véritable au profit d'une technicité illusoire. Cette discussion dépasse largement le cadre de ce livre.

Ce qui importe avant tout, c'est de tenir compte à la fois des visées de la recherche, du temps et des moyens dont on dispose pour mener à bien l'ensemble de l'opération. Une fois la collecte de données terminée, il est recommandé de procéder à une lecture globale de tout le matériel qu'on a en mains avant de commencer à le décortiquer en strates et en sous-strates. Quelle que soit la façon d'analyser le contenu des entretiens effectués, il apparaît essentiel que le chercheur se donne la peine d'en approfondir le plus possible la connaissance qu'il en a. Certains auteurs recommandent de tenir compte des expressions non verbales (rires, soupirs, etc.). Ces expressions donnent souvent un sens particulier aux diverses déclarations des sujets. L'analyse des comportements non verbaux nécessite une formation qu'il n'est pas souvent possible de donner aux intervieweurs dans le cadre de projets de recherche, notamment. La plupart du temps, on se contente d'indications générales, afin d'éviter toute interprétation abusive des comportements observables non verbaux.

---

1. Il existe un nombre de plus en plus grand de programmes de ce type. Il appartient au chercheur de choisir celui qui convient le mieux à ses besoins. Selon cette méthode, le chercheur examine le texte transcrit à l'aide d'un ordinateur (*word processing software*). Quand une observation lui vient à l'esprit, il la note directement sur le texte transcrit, à l'endroit qui lui a suggéré cette observation. L'usage de traitements informatisés permet d'épargner un temps considérable : il devient possible d'avoir accès aux données recueillies et également aux observations qu'elles ont provoquées. À ce sujet, le lecteur pourra se référer aux ouvrages suivants : M.D. LeCompte *et al.* (1992), *The Handbook of Qualitative Research in Education*, San Diego, New York, Academic Press, pour un aperçu de l'usage de l'information en recherche qualitative; H.S. Becker (1986), « Computing in Qualitative Sociology », *Qualitative Sociology*, vol. 9, n° 1, p. 199-103; M.H. Agar (1991), « The Right Strikes Back », dans N.G. Fielding et R.M. Lee (dir.), *Using Computers in Qualitative Research* (p. 181-194), Newbury Park, CA, Sage Publications; R. Tesch (1990), *Qualitative Research : Analysis Types and Software Tools*, Bristol, PA, Falmer Press, à titre indicatif.

6.4. La condensation ou la réduction des données

Le recours à la méthode de l'entretien de type semi-structuré, ouvert ou en profondeur conduit à une production écrite souvent imposante. En effet, les propos, tant ceux de l'intervieweur que ceux de l'interviewé, doivent être considérés. Il n'est évidemment pas possible ni souhaitable de traiter toutes ces données de la même façon. Miles et Huberman (1984), pour leur part, rappellent qu'il est important de réduire, ou de condenser, les données obtenues de façon inductive plutôt que déductive. Ils suggèrent fort pertinemment, par ailleurs, de retranscrire le matériel accumulé avec une attitude non jugeante, ouverte, évitant les *a priori*. Quoi qu'il en soit, au moment de la réduction des données, le chercheur doit faire un choix parfois très difficile. Il ne doit retenir que les éléments les plus significatifs contenus dans le texte étudié, au risque de ne pouvoir se retrouver dans le nombre souvent imposant de documents qu'il a accumulés.

Toutefois, il serait illusoire de penser qu'un intervieweur, lorsqu'il analyse des données d'entretien, puisse être parfaitement à l'abri de tout biais. À la limite, on lit un texte à partir de son propre prisme. Voilà pourquoi il est important que le chercheur se préoccupe d'étudier les dimensions personnelles qui le rapprochent ou l'éloignent du sujet qu'il analyse. De cette façon, il réduira, dans la mesure du possible, les biais attribuables à sa subjectivité ou aux préjugés[2]. Les tenants de l'approche qualitative ne rejettent pas la nécessité de tendre vers une plus grande objectivation des phénomènes qu'ils étudient.

6.4.1. Indiquer ce qui est important dans le texte

La première étape dans le processus de réduction consiste à bien lire le texte, à s'en imprégner en quelque sorte et à en souligner les passages les plus intéressants ou les plus porteurs d'idées. Cette étape de l'analyse revêt une dimension forcément subjective. De fait, le jugement posé sur l'importance de tel ou tel passage dépend de l'expérience du chercheur, de sa sensibilité aussi bien que de la connaissance qu'il a du sujet. Ses références sont intimement liées à son bagage personnel et à sa capacité de prendre des distances pour mieux se

---

2. Nous avons déjà abordé ce sujet dans Lessard-Hébert *et al.* (1996). Voir également les travaux de Van der Maren (1995) et de Deslauriers (1987).

rapprocher du sujet à l'étude. Il lui revient de se situer en *époquè*[3] et de mettre l'accent sur les points capitaux du discours à l'étude. Le danger demeure, si l'on n'y prend garde, de se laisser happer par le contenu au détriment de son sens réel et de l'intention de ses auteurs.

6.4.2. Les modèles d'analyse

Disons-le nettement, il n'existe pas de modèle d'analyse unique applicable à tous les textes[4]. Ce qui est important dans tel ou tel texte ne saurait être établi une fois pour toutes. Certains auteurs conviennent même de la pertinence de donner le moins d'indications possible aux personnes chargées d'analyser un texte. À cet égard, il est intéressant de souligner ici que tous les auteurs s'entendent sur la nécessité de rendre les résultats accessibles aux utilisateurs. Dans leur ouvrage souvent cité portant sur l'analyse des données qualitatives, Huberman et Miles (1991, p. 88 et suiv.) suggèrent une méthode particulièrement intéressante pour établir une fiche synthèse d'entretien. Il s'agit, dans un premier temps, de bien cerner « l'essence des utilisations obtenues » en indiquant sur une fiche le nombre de personnes concernées, les problèmes ou principaux thèmes abordés, les questions de recherche sur lesquelles portait de façon plus précise l'entretien, les nouvelles hypothèses sur la situation étudiée et, enfin, les priorités pour la prochaine rencontre, le cas échéant. On comprend dès lors que de telles fiches doivent comporter tous les renseignements d'usage : identification codée de l'interviewé, nom de l'intervieweur, date, circonstances relatives à la tenue de l'entretien, etc. Il est recommandé de remplir cette fiche dès que les données de l'entretien ont été enregistrées, de telle sorte que l'intervieweur ait encore en mémoire les renseignements auxquels nous venons de faire référence.

---

3. Ce terme désigne une mise en perspective qui permet d'étudier un phénomène dans toute sa réalité.
4. En ce qui concerne les modèles d'analyse comme tels, le lecteur aura intérêt à consulter l'ouvrage de A. Blanchet et A. Gotman (1992), *L'enquête et ses méthodes : l'entretien*, Paris, Nathan; R. Ghiglione et A. Blanchet (1991), *Analyse de contenus et contenus d'analyse*, Paris, Dunod. Les premiers exposent de façon succincte et claire l'analyse par entretien, qui se justifie selon eux lorsqu'on étudie des processus, des modes d'organisation individuels, l'analyse thématique qui découpe « ce qui transversalement se réfère au même thème à travers plusieurs entretiens ».

Cette façon de faire permet au chercheur de procéder à une analyse de contenu dans les meilleures conditions possibles. La plupart des auteurs, tels Blanchet et Gotman (1992, p. 94 et suiv.), suggèrent de procéder entretien par entretien. « Il s'agit, soulignent ces auteurs, de rendre compte pour chaque entretien de la logique du monde référentiel décrit par rapport aux hypothèses. » Cette étape conduit à une analyse thématique qui prend appui sur une démarche transversale de découpage du discours des répondants.

6.4.3. Dégager des profils et des thèmes

Le chercheur, en soulignant ce qui l'intéresse dans la transcription des entretiens, vise à réduire et à donner une forme au matériel qu'il a recueilli, afin de le partager et de le faire connaître à d'autres chercheurs. Il existe plusieurs façons de procéder dans ce domaine :

1. recourir à des profils pour chacun des participants, que l'on regroupe ensuite sous des catégories qui évoquent un sens;
2. indiquer des passages qui concernent un individu donné;
3. regrouper ces passages en catégories et ensuite étudier ces catégories afin de découvrir les liens qui existent entre elles.

L'analyse et l'interprétation des entretiens de recherche ont été beaucoup moins traitées par les méthodologues que la situation d'entretien elle-même. Le problème qui se pose au chercheur est le suivant : comment le matériel issu de plusieurs entretiens de recherche peut-il être organisé afin d'en faciliter l'analyse ? Les formes quantitatives d'analyse de contenu inspirées de l'approche positiviste sont difficiles à appliquer dans cette recherche du sens qu'est la recherche qualitative. Il existe effectivement diverses approches d'analyse de données mieux adaptées au but poursuivi. Dans le premier cas, on peut procéder à l'analyse des entretiens à l'aide d'une grille préétablie à partir d'hypothèses de recherche. Cette façon de faire vise à structurer le matériel recueilli autour de la confirmation ou de l'infirmation de ces hypothèses. Dans le second cas, il s'agit d'approches plus ouvertes concernant l'analyse et l'interprétation du matériel, qui ont été élaborées dans le contexte de la démarche phénoménologique à la suite des travaux de Giorgi (1975), par exemple.

Par ailleurs, il n'existe pas une seule façon de distribuer ou de partager des données d'entretiens de recherche. Certains chercheurs accordent moins d'importance aux mots et davantage aux graphiques et aux matrices. Cette façon de faire présente l'avantage de rendre les données plus accessibles, plus simples d'accès, en un mot, plus « visuelles »; elle peut conduire par contre, si l'on n'y prend garde, à une trop grande simplification au détriment d'une complexité plus riche dans certains cas.

Tous les entretiens ne se prêtent pas à une même forme de présentation de données. Certains exigent une disposition qui met l'accent sur les expressions ou le vocabulaire utilisés, d'autres bénéficient davantage d'une présentation sous forme de profils. Ces derniers constituent une façon de régler le problème que rencontre l'intervieweur quand il veut faire partager ce qu'il a appris des entretiens qu'il a effectués. Par ailleurs, la forme narrative d'un profil permet au chercheur de transformer ce savoir en un récit historique (Mishler, 1986). Cette façon de faire serait la manière la plus efficace de se renseigner sur ce qui concerne les personnes elles-mêmes ainsi que leur contexte social.

6.4.4. Établir des liens entre les thèmes

Il existe une façon « conventionnelle » de présenter des données d'entretiens : il s'agit d'organiser des extraits en diverses *catégories*. Le chercheur tente par la suite de dégager des modèles et d'établir des liens entre les extraits qu'il se prépare à analyser plus en profondeur. Les liens ainsi établis entre les catégories prennent le nom de *thèmes*. Si le chercheur désire en plus présenter des profils individuels, il peut utiliser des extraits émanant des entretiens organisés de façon thématique.

Au cours du processus de lecture et de marquage des transcriptions, le chercheur commence par souligner les passages qui l'intéressent. Après avoir lu et souligné les passages de cette catégorie dans deux ou trois entretiens, il peut s'arrêter et vérifier quel titre il peut donner à tel ou tel passage. Le chercheur est ainsi amené à se poser plusieurs questions. Il peut se demander, par exemple, de quoi parlent les passages soulignés. Y a-t-il des mots ou une phrase qui semblent le mieux les décrire ? Y a-t-il un mot dans le passage lui-même qui suggère une catégorie dans laquelle ce passage peut cadrer ?

Il est important à ce stade de l'analyse de ne pas fixer les étiquettes (*labels*) de façon définitive. En effet, placer les éléments en catégories trop tôt peut bloquer le processus et conduire à un cul-de-sac. En cours de route, comme on le sait, certaines catégories seront modifiées, voire largement transformées. Cela se produira lorsque le chercheur continuera à lire et à souligner certains passages. Par ailleurs, il peut arriver que des catégories qui semblaient prometteuses au début du processus doivent être abandonnées et que d'autres, qui semblaient séparées et distinctes au départ, demandent à être fondues les unes dans les autres. Enfin, certaines catégories peuvent demeurer inchangées du commencement à la fin du processus.

Une fois l'opération d'étiquetage terminée, l'étape suivante consiste à reporter dans les dossiers de l'ordinateur ces passages sous le nom de la catégorie de référence. Certains extraits peuvent entrer dans plus d'un dossier. Il s'agit alors de faire des copies de ces passages et de les consigner dans les nombreux dossiers qui semblent les plus appropriés.

Après avoir classé tous les extraits retenus, il importe de les relire tous, dossier par dossier. Il est préférable de commencer par ceux qui sont les plus intéressants, riches de sens, en les distinguant de ceux qui le sont moins. Cette opération est désignée sous le nom de « processus dialectique ». C'est par ce moyen que s'établit une véritable communication entre le chercheur (ou l'analyste de données) et les personnes interviewées. En effet, les participants se sont exprimés, et c'est maintenant au tour du chercheur de réagir à leur discours en se concentrant de façon intuitive sur le processus. Ce qui ressort alors de ce travail représente une synthèse de ce que le participant a dit et de la façon dont le chercheur a réagi.

La démarche que nous venons de décrire sous-entend que le chercheur établit et articule ses critères en s'inspirant d'une démarche rigoureuse et logique. En agissant de la sorte, il fournit au lecteur un moyen de comprendre le processus qu'il a utilisé et la démarche qu'il a suivie dans la réduction des nombreuses données recueillies, afin de les rendre accessibles à d'autres lecteurs.

Il faut en outre rappeler que la démarche qui consiste à analyser des extraits d'entretiens en cherchant à établir des liens entre eux et à construire des catégories interprétatives est exigeante et comporte des risques. Il peut évidemment se faire que le chercheur tente d'inclure des extraits de transcriptions d'entretiens dans les catégories avec trop d'insistance, et ces catégories dans des thèmes qu'il a déjà en tête, plutôt que de les laisser se développer à partir de l'expérience des participants. Agir ainsi, c'est oublier que la raison pour laquelle on prend tant de temps à communiquer avec les participants est de découvrir leur expérience et le sens qu'ils lui donnent. Il est donc recommandé au chercheur d'éviter une telle intrusion et de « laisser parler » les données à l'étude. C'est alors qu'il sera en mesure d'établir des liens entre les expériences de personnes qui ont accepté de les partager et leur perception de tel ou tel événement de leur vie.

Malgré la difficulté de la tâche, il n'existe pas de solution de remplacement à l'immersion totale dans les données. Il importe d'essayer d'articuler des critères qui permettent de souligner certains passages comme étant importants et également de sélectionner les critères les plus pertinents, dans le but d'attribuer à ce processus une certaine crédibilité. Le chercheur doit ici faire confiance à son jugement : n'a-t-il pas dans de nombreux cas effectué lui-même les entretiens en tout ou partie, étudié les transcriptions, lu la littérature pertinente et, pour ainsi dire, vécu avec les données? La droiture et la cohérence dont il a fait montre tout au long du processus de collecte de données sont garantes de sa crédibilité.

6.5. L'interprétation et l'analyse du matériel recueilli

L'interprétation et l'analyse du matériel recueilli ne sont pas des activités réservées au chercheur lorsque son projet tire à sa fin, ni même *a posteriori*. Le fait de souligner des passages importants, de leur donner un titre et enfin de les regrouper représente déjà un travail d'analyse et d'interprétation. Le fait également de dresser un profil est un acte d'interprétation et d'analyse, comme l'est également le fait de présenter des extraits sous forme de catégories.

À cette étape du travail, il peut être tentant d'arrêter la démarche et de laisser les extraits classés en catégories et les profils parler par eux-mêmes. Il reste cependant une étape finale qui revêt une grande importance. Il faut en effet que le chercheur soit en mesure de répondre à un certain nombre de questions :

- Qu'avez-vous appris en faisant les entretiens, en étudiant les transcriptions, en les soulignant et en les nommant, en élaborant des profils et en organisant des catégories à partir des extraits ?

- Quels liens pouvez-vous établir entre les expériences des personnes que vous avez interviewées ?
- Qu'est-ce que vous comprenez maintenant et que vous ne compreniez pas avant de faire les entretiens ?
- Quels éléments vous ont surtout frappé par leur nouveauté ?
- Les éléments contenus dans le matériel colligé ont-ils confirmé vos prévisions ?
- Est-ce que les résultats des entretiens que vous avez analysés concordent avec ceux que d'autres chercheurs ont obtenus avant vous ?
- S'il existe des incohérences, quelles sont-elles ?
- Quelle est la contribution de votre travail à l'avancement des connaissances dans le domaine concerné ?

Il y a déjà plusieurs années, Glaser et Strauss (1967, p. 25) posaient déjà ces questions en les assortissant de la recommandation suivante :

> Quand vous avez relevé des passages importants, mais que la catégorie à laquelle ils appartiennent semble non définie ou que leur signification n'est pas claire, écrivez un « rappel » à leur sujet. Par le moyen de ce que vous avez appris, la façon dont ils ont été recueillis et ce qu'ils signifient pour vous, tout cela va contribuer à la clarification des propriétés et de l'apport de la catégorie à laquelle ils appartiennent. Si vous écrivez de tels commentaires au sujet de chacune des catégories que vous avez établies et au sujet des profils que vous avez élaborés, alors, le processus d'écriture que vous développerez à leur sujet vous conduira à la découverte de ce que vous trouvez important chez eux, tant sur le plan individuel qu'interrationnel.

Il n'est donc pas étonnant qu'une bonne partie de ce que nous apprenons dans une première phase de recherche prenne souvent un aspect exploratoire qui suggère la nécessité d'un approfondissement ultérieur.

La plupart des auteurs en qualitatif insistent sur la pertinence, à la dernière étape du processus de recherche, de s'interroger sur le sens que cette recherche représente pour le chercheur. En d'autres termes, il s'agit de se demander *en quoi l'expérience des participants était marquante, comment je l'ai comprise, comment j'ai donné un sens aux catégories établies*, enfin de cerner *le contenu des énoncés recueillis, comment j'ai détecté des liens entre ces diverses catégories.*

Cette façon de faire permet au chercheur de déceler des liens entre les événements, les structures, les rôles et les forces sociales influant sur la vie des personnes interviewées. C'est ainsi qu'il sera amené à élaborer de nouvelles théories qu'il lui sera par la suite possible d'explorer. La dimension « inductive » de l'approche qualitative prend ici tout son sens.

Par ailleurs, les discours élaborés par le chercheur, à partir des paroles des répondants, sont forcément limités. La vie de ces derniers se poursuit et il n'en a capté qu'une toute petite partie. Ainsi, si nous analysons la relation qu'établit un stagiaire avec les élèves à son premier stage, il serait maladroit d'extrapoler, dans les stages subséquents, cette façon de se comporter. Qui plus est, la narration que nous décrivons est fonction de notre interaction avec les participants et les mots qu'ils emploient. En revanche, il faut noter que les résultats ainsi obtenus doivent être resitués dans leur contexte propre et ne permettent pas de généralisations inconsidérées.

6.6. La validité de la méthode d'entretien

Toute méthode de recherche a ses limites et ses forces. Dans l'entretien de type qualitatif, la force réside dans le fait que nous sommes en mesure de comprendre par le détail l'expérience des personnes à partir de leur point de vue. Nous pouvons voir comment leur expérience individuelle interagit avec les forces sociales et organisationnelles qui envahissent leur vie et leur travail, ce qui nous permet de découvrir les interrelations parmi les gens qui vivent et travaillent dans un contexte donné.

Le problème de la validité de l'entretien de recherche de type qualitatif refait souvent surface. Certains chercheurs nient à ce type de collecte de données un statut scientifique, parce qu'il peut difficilement répondre aux critères habituels de constance et de validité, tels que les énonce l'approche traditionnelle. D'un point de vue phénoménologique, il apparaît possible de réinterpréter les critères habituels d'évaluation dans une perspective qualitative. Passons brièvement en revue quelques-uns des points de discussion les plus courants.

La subjectivité de l'intervieweur

Selon le mode traditionnel de procéder, le fait que les intervieweurs adaptent leur questionnement aux réponses des interviewés constitue un biais. D'un point de vue phénoménologique, selon Kvale (1983, p. 189 et suiv.), il en va autrement, les intervieweurs pouvant développer leur style personnel dans la mesure où ce dernier leur permet une image plus complète et une connaissance plus approfondie des thèmes abordés au cours de l'entretien. Certains auteurs, tels Powney et Watts (1987), insistent cependant sur le fait que les intervieweurs ont leurs propres perspectives et leurs propres partis pris dont il importe de tenir compte. Les sources de cette subjectivité sont bien connues; il suffit ici de les rappeler sommairement : 1. les caractéristiques personnelles de l'intervieweur : âge, éducation, niveau socio-économique, sexe, religion, etc; 2. les facteurs psychologiques : perceptions, attitudes, motifs et attentes, etc; 3. les facteurs comportementaux : nervosité, ton de la voix inapproprié, etc. On comprend dès lors que la qualité des données recueillies est forcément liée à la compétence de l'intervieweur, comme nous l'avons signalé précédemment.

La subjectivité de l'analyse des entretiens

La subjectivité se retrouve également dans l'analyse même des entretiens de recherche. On peut craindre à juste titre qu'un chercheur inexpérimenté soit porté à sélectionner et à analyser des énoncés à partir de ces propres préconceptions et préjugés. Afin de contrer ces limites, il est souvent recommandé au chercheur de faire appel à une quotation effectuée par deux ou plusieurs personnes indépendamment les unes des autres. Comme le fait remarquer encore Kvale (1983, p. 193), il demeure difficile de formuler des règles absolues en ce qui concerne la validité de l'interprétation des données issues d'entretiens de recherche. Cet auteur suggère de procéder à une clarification du sens en ce qui concerne le phénomène à l'étude. Contrairement à la façon habituelle de procéder qui sous-entend que le chercheur connaît ce qu'il se propose d'investiguer, selon l'approche phénoménologique il en va autrement : il importe de clarifier le sens que le phénomène investigué revêt pour lui, ce qui suppose une capacité de prendre des distances tout en reconnaissant sa propre subjectivité. Le chercheur en qualitatif doit considérer la résonance ou l'impact de ses propres préoccupations lorsqu'il s'agit d'analyser les données recueillies. Il doit s'interroger sur son intérêt à explorer tel ou tel champ de connaissance et à l'approfondir. Cette démarche fait intrinsèquement partie du processus général de la recherche en qualitatif.

Tout récemment, Poupart *et al.* (1997, p. 330) rappelaient fort justement à ce sujet qu'ils « ont observé un certain renversement de perspective concernant le rôle de la subjectivité du chercheur dans le processus de connaissance ». Maintenant, ajoutent en substance ces auteurs, la subjectivité du chercheur est considérée de plus en plus comme un apport à la connaissance et non plus seulement comme un obstacle à éviter. Ce point de vue, comme nous avons pu le noter, est partagé par un nombre croissant de spécialistes dans le domaine des sciences humaines. **Cette subjectivité est une subjectivité qui se connaît,** elle exige une objectivation et un effort soutenus pour ne pas céder à la tentation de la facilité.

6.7. La rédaction du rapport de recherche

Écrire le rapport d'une recherche de type qualitatif exige un certain nombre de précautions dont il nous faut parler maintenant. Afin de rendre compte de la richesse du matériel accumulé, Miles et Huberman (1987) suggèrent de recourir au texte narratif. Nous avons vu également qu'il fallait le présenter en référence à diverses catégories ou profils, la masse des documents ayant été au préalable soumise à une analyse approfondie. Il reste maintenant à présenter l'essentiel de ces résultats sous une forme accessible aux lecteurs.

La première étape dans la rédaction d'un rapport de recherche consiste à élaborer une introduction. Dans le domaine de la recherche qualitative cette introduction est rarement écrite d'un seul trait et une fois pour toutes. Il se peut que la relecture du corps du rapport incite l'auteur à reprendre plusieurs éléments de cette partie de son travail.

En deuxième lieu, la recension des écrits constitue une occasion privilégiée de vérifier le bien-fondé de ce qui a été accompli au cours de la première étape de l'entretien. *Est-ce que les thèmes et les thèses confirment la façon selon laquelle les gens avaient élaboré leur étude dans les travaux antérieurs ? Confirment-ils leurs découvertes et leurs conclusions ?* Dans ce dernier cas, la recension des écrits doit résumer cette contribution et noter comment le rapport en question va contribuer à confirmer, à élargir et à raffiner les résultats obtenus antérieurement. Une question se pose encore : les thèmes et les sujets abordés dans le cadre de cette recherche l'ont-ils été dans le cadre des recherches antérieures ? Si ce n'est pas le cas, il faut tenter de mettre en perspective les aspects qui ont été négligés et indiquer comment le présent rapport va les traiter. Cette recension critique des écrits sur le sujet à l'étude peut prendre place après la seconde partie du rapport, qui consiste en la présentation organisée des résultats obtenus. Elle prend souvent la forme d'un tour guidé des terrains explorés au cours de la démarche de recherche.

La dernière section de ce travail consiste à résumer de façon éclairante les principaux résultats de la recherche et à montrer comment ils peuvent servir de points d'appui à une utilisation pertinente.

En bref, le processus de rédaction d'un rapport de recherche, à la suite de l'analyse des résultats d'entretiens de recherche, comporte plusieurs phases : une introduction, une recension des écrits, une présentation articulée des données, une discussion indiquant les limites de l'investigation menée et, enfin, un aperçu des retombées possibles.

La qualité du rapport de recherche dépend dans une large part de celle des fiches synthèses que chacun des intervieweurs est invité à préparer aussitôt l'entretien terminé. Cette phase de la collecte de données est essentielle. Seul l'intervieweur est en mesure de communiquer ce qu'il a perçu au cours de l'entretien. Les notations sur le déroulement de la rencontre – événements non verbaux (attitudes, commentaires hors contexte, etc.) – peuvent être utiles à ceux qui sont chargés de procéder à la retranscription et à l'analyse des données dans le but de rédiger le rapport de recherche. À cet égard, il est utile de rappeler à l'instar de Deshaies (1992, p. 353) que « la communication des résultats d'une recherche est l'ultime objectif du chercheur ». D'où la nécessité de se renseigner sur les modalités de présentation des résultats obtenus.

Conclusion

Comme nous venons de le voir, dans ce chapitre, l'analyse des données repose sur une bonne connaissance de la technique d'analyse de contenu[5]. Comment, en effet, faire ressortir le sens des données recueillies sans procéder à une étude la plus fine possible des réponses des sujets interrogés ?

Nous avons rappelé et commenté un bon nombre de suggestions et de prescriptions d'experts sur le sujet. Tous semblent s'entendre sur un bon nombre de points dont voici les principaux. D'abord, ne pas craindre de lire et de relire les réponses en lien toujours avec les questions qui les ont « provoquées ». Ces lectures successives vont permettre à l'analyste de saisir le sens caché de ce matériel, de se l'approprier en quelque sorte. La catégorisation ne viendra qu'après ce premier déblayage, cette première appropriation. C'est un leurre de croire qu'on gagne du temps en escamotant cette phase initiale.

Sur un plan plus technique nous avons signalé l'existence de diverses méthodes d'analyse de contenu, à savoir l'analyse propositionnelle du discours et l'analyse des relations par opposition. La comparaison des deux méthodes, articulée autour des éléments que sont les hypothèses de base, les critères de découpage, la sélection des unités de contenu, les procédures d'interprétation, l'exhaustivité ou sélectivité du découpage et le choix du domaine d'application, nous a permis d'illustrer des démarches assez courantes d'analyse de contenu. Notons pour finir que les méthodes d'analyse de contenu, quel que soit leur type, nécessitent une préparation soignée; certaines d'entre elles, comme le font remarquer Blanchet et Gotman (1992), peuvent être utilisées de façon concomitante.

---

5. Il existe aujourd'hui un bon nombre d'ouvrages sur l'analyse de contenu. Voir les travaux de L. Bardin (1977), *L'analyse de contenu*, Paris, PUF; de R. Ghiglione *et al.* (1985), *Les dires analysés, l'analyse propositionnelle du discours*, Paris, PUF; et, de façon particulière, ceux de R. L'Écuyer (1989), « Analyse développementale du contenu », dans Painchaud, G. et M. Anadon (dir.), *Conceptions et pratiques de l'analyse de contenu*, Actes du Colloque de l'ARQ, *Revue de l'Association pour la recherche qualitative*, vol. 1, n° 1, p. 51-80, mai 1988. Voir aussi le chapitre de J.E. Landry, « L'analyse de contenu », dans B. Gauthier (1992), *Recherche sociale. De la problématique à la collecte des données*, 2e éd., Sainte-Foy, Presses de l'Université du Québec. Les débutants puiseront de judicieux conseils dans l'un des derniers livres de R. L'Écuyer (1990), *Méthodologie de l'analyse de contenu : méthode GPS et concept de soi*, Sainte-Foy, Presses de l'Université du Québec.

Références bibliographiques

BLANCHET, A. et A. GOTMAN (1992). *L'enquête et ses méthodes; l'entretien*, Paris, Nathan (Nathan-Université).

BOGDAN, R. et S.J. TAYLOR (1975). *Introduction to Qualitative Research Methods: A Phenomenological Approach to the Social Sciences*, New York, John Wiley and Sons.

BRENNER, M., J. BROWN et D. CANTER (dir.) (1985). *The Research Interview: Uses and Approaches*, London, Academic Press.

DESHAIES, B. (1992). *Méthodologie de la recherche en sciences humaines*, Montréal, Éditions Beauchemin.

DESLAURIERS, J.-P. (1987). *Les méthodes de la recherche qualitative*, Sainte-Foy, Presses de l'Université du Québec.

GIORGI, A. (1975). « An Application of Phenomenological Method in Psychology », dans A. GIORGI, C. FISCHER et E. MURRAY (dir.), *Duquesne Studies in Phenomenological Psychology*, vol. II, Pittsburgh, Duquesne University Press.

GLASER, B.G. et A.S. STRAUSS (1967). *The Discovery of Grounded Theory: Strategies for Qualitative Research*, New York, Aldine De Gruyter.

HUBERMAN, M. et M. MILES (1983). *L'analyse des données qualitatives: quelques techniques de réduction et de représentation*, Neuchâtel, I.D.R.P.

KVALE, S. (1983). « The Qualitative Research Interview: A Phenomenological and Hermeneutical Mode of Understanding », *Journal of Phenomenological Psychology*, vol. 14, nº 2, p. 171-196.

LESSARD-HÉBERT, M., G. GOYETTE et G. BOUTIN (1996). *La recherche qualitative: fondements et pratique*, Montréal, Éditions Nouvelles.

LINCOLN, Y.S. et E.G. GUBA (1985). *Naturalistic Inquiry*, Beverly Hills, CA, Sage Publications.

MILES, M.B. et A.M. HUBERMAN (1984). *Qualitative Data Analysis: A Source-Book of New Methods*, Beverly Hills, CA, Sage Publications, traduit en français sous le titre: *Analyse des données qualitatives. Recueil de nouvelles méthodes*, par Catherine DE BACKER et Vivian LAMONGIE de l'association Erasme (1991).

MISHLER, E.G. (1986). *Research Interviewing: Context and Narrative*, Cambridge, MA, Harvard University Press.

PATTON, M.Q. (1989). *Qualitative Evaluation Methods* (10th printing), Beverly Hills, CA, Sage Publications.

POUPART, J., M. LALONDE et M. JACCOUD (1997). *De l'École de Chicago au postmodernisme. Trois quarts de siècle de travaux sur la méthodologie qualitatitive*, Cap-Rouge, Les Presses InterUniversitaires; Casablanca, Les Éditions 2 Continents.

POWNEY, J. et M. WATTS (1987). *Interviewing in Educational Research,* London, Routledge and Kegan Paul.

VAN DER MAREN, J.M. (1995). *Méthodes de recherche pour l'éducation,* Montréal, Presses de l'Université de Montréal.

Conclusion générale

Dès l'introduction de ce livre, nous avions indiqué que notre but premier était d'offrir aux étudiants en formation (surtout de 2e et de 3e cycle), de même qu'aux chercheurs qui désirent se renseigner davantage sur l'entretien de recherche de type qualitatif, un aperçu des fondements et des pratiques reliés à cet instrument. Le présent ouvrage constitue avant tout un instrument de travail qui ne sera utile que dans la mesure où les destinataires décideront de s'en inspirer, de le compléter, de le « refondre » pour eux-mêmes à partir de leur propre expérience de praticiens et de chercheurs.

Comme nous avons pu le constater chemin faisant, de nombreux auteurs en méthodologie traitent de l'entretien de recherche comme s'il s'agissait d'une démarche simple que des conseils généraux suffiraient à bien accomplir. Or, il n'en est rien. Si le chercheur décide de recourir à ce type de collecte de données, il devra dès le départ se documenter, se demander si c'est bien la méthode qui convient le mieux à ses visées et, si tel est le cas, se former à cette démarche méthodologique, qu'elle soit employée seule ou en triangulation avec d'autres. C'est dire l'importance de bien connaître les tenants et les aboutissants de l'entretien de recherche avant de procéder à la prise de données elle-même.

À cet égard, les typologies que nous avons présentées et commentées devraient permettre au chercheur de mieux choisir les modalités d'investigation auprès de telle ou telle clientèle. Certains problèmes de recherche se traitent de façon plus efficace et adaptée, si l'on recourt à une démarche de questionnement de type ouvert, alors que d'autres exigent un questionnement plus fermé. Le « fait humain », pour reprendre une expression courante, peut s'appréhender de plusieurs façons, soit par l'entretien individuel ou de groupe, l'observation participante, la mise en situation projective, la description existentielle et la description phénoménologique. Chacune des ces approches vise à sa façon la saisie des aspects singuliers des personnes interviewées et une meilleure connaissance des phénomènes à l'étude. Il n'est donc pas étonnant que les sciences humaines accordent de plus en plus d'importance à l'entretien de recherche.

L'organisation générale de cet ouvrage nous a été suggérée par une certaine logique de l'explicitation. Il nous a paru utile, voire essentiel, de : 1. poser d'abord les fondements épistémologiques de l'entretien de recherche; 2. définir la notion même d'*entretien de recherche*, en lien avec nombreuses typologies qui existent dans le domaine; 3. clarifier la place de la communication dans le processus général de l'entretien de recherche; 4. spécifier les caractéristiques des clientèles dont il convient de tenir compte au cours de l'entretien; 5. décrire les principales phases de l'entretien de recherche et, enfin, 6. présenter les modes les plus courants d'analyse de contenu des données issues d'entretiens de type qualitatif.

Rappelons que l'entretien de recherche de type qualitatif se caractérise avant tout par le fait que les personnes interviewées répondent dans leur propres mots et à partir de leurs propres perspectives. Quelle que soit la variété des stratégies empruntées par les tenants de l'approche qualitative, tous s'entendent sur le principe que le format de la réponse doit être ouvert. En aucun cas, l'intervieweur ne détermine les phrases ou les catégories qui doivent être utilisées par le répondant pour exprimer ses points de vue ou ses sentiments. Cette caractéristique de l'entretien qualitatif le distingue de l'entretien de recherche classique à questions fermées, du questionnaire et des autres instruments du genre des tests utilisés en quantitatif. De tels instruments incitent les participants à inscrire leurs connaissances, leurs expériences et leurs sentiments dans les catégories établies au préalable par le chercheur. Patton (1990, p. 205) résume ainsi la spécificité de l'entretien de recherche qualitatif : « Le principe fondamental de l'entretien qualitatif réside dans le fait qu'il fournit un cadre à l'intérieur duquel les répondants peuvent exprimer leurs points de vue personnels dans leurs propres termes. »

Dans cet ouvrage, nous avons tenté de décrire les ressorts et les mécanismes de l'entretien de recherche. Le lecteur aura vite compris que ce type de collecte de données a ses limites : l'intervieweur influence l'interviewé et vice versa. Comme le disent fort bien Blanchet et Gotman (1992, p. 117), « tout discours produit par entretien est co-construit par les partenaires du dialogue, en fonction des enjeux de la communication et des interactions à l'œuvre dans l'interlocution ».

En somme, si l'on veut que l'entretien de recherche remplisse sa véritable fonction qui est de « prendre les choses de l'intérieur », de les voir du point de vue de la personne interrogée elle-même, force est de tenir compte d'un certain nombre de principes sur lesquels il semble bien exister une certaine unanimité :

- prêter attention à l'adéquation de cette technique d'enquête avec la problématique de recherche, avec la question à l'étude;
- élaborer un protocole d'entretien qui tienne compte des objectifs visés et des particularités des répondants et des contextes;
- procéder à la démarche d'entretien en se centrant sur le discours qu'on élabore de concert avec la personne interviewée;
- établir une analyse des contenus recueillis en accord avec la spécificité de la démarche empruntée.

Ces conditions, si elles sont respectées, contribuent à faire de l'entretien de recherche qualitatif un instrument dont la pertinence est de plus en plus reconnue en sciences humaines. Elles ne sauraient cependant faire oublier certaines caractéristiques de ce mode de collecte de données. Sur le plan méthodologique, le chercheur se retrouve souvent en présence d'une abondance de données – recueillies auprès d'un nombre limité de sujets – parmi lesquelles il lui faut choisir les plus pertinentes. Il doit également se méfier des biais associés au mode même de collecte de données, qui repose sur une rencontre entre deux personnes, avec tout ce que cela suppose de projection, de subjectivité et d'autres facteurs liés aux émotions. Ces limites ne sont toutefois pas suffisantes pour qu'on abandonne cette technique de collecte de données. Nous avons souligné chemin faisant les principales qualités de l'entretien de recherche de type qualitatif.

Rappelons que ce type d'entretien permet d'avoir accès à des données que les autres modes d'investigation ne permettent pas d'atteindre: représentations, systèmes de valeur, dimensions socio-affectives, etc. Il permet de prendre en considération les réactions non verbales de l'interviewé, de mieux saisir son rapport aux questions posées, en un mot, d'approfondir la connaissance des éléments à l'étude.

Mais comment ne pas terminer ce livre comme nous l'avons commencé, c'est-à-dire par une invitation à la formation et à l'autoformation dans le domaine. On songe immédiatement à la pertinence de l'usage de l'étude de cas, du jeu de rôle et de la mise en situation, pour ne citer que quelques exemples. Une formation « idéale » à l'entretien de recherche individuel ou de groupe pourrait effectivement comporter diverses étapes qui rejoignent sensiblement celles que nous avons suivies dans ce livre : a) sensibilisation aux paradigmes de la recherche en sciences humaines, b) définition de l'entretien de recherche en comparaison avec les autres méthodes de collecte de données, c) assimilation de connaissances de base sur les techniques de communication, d) aperçu des spécificités des diverses clientèles et, surtout, e) appropriation de la démarche d'entretien par le futur intervieweur, sans compter une préparation soignée à l'analyse de contenu.

Pour ce qui est de l'entretien de groupe, il conviendrait d'ajouter à ce tableau, comme le suggère Mucchielli (1984, p. 70-72), des connaissances essentielles sur la dynamique des groupes. Une telle formation ne saurait se dispenser d'une supervision et d'un accompagnement de la part d'un spécialiste dans le domaine. Il devrait en être de même pour ce qui touche l'entretien individuel, même si l'on semble encore trop souvent se contenter d'une formation sommaire en ce qui concerne cette technique. En revanche, la nécessité d'une préparation à l'entretien de recherche s'impose d'elle-même aux chercheurs, en qualitatif notamment. Comme le souligne fort justement Grawitz (1986, p. 725), « il importe que l'enquêteur soit sympathique, mais cela ne suffit pas, il faut aussi qu'il connaisse les conditions techniques qui assurent le succès de l'interview. Pour cela comme dans tout métier il faut des aptitudes et un apprentissage, des dons, de l'expérience et du travail. »

Références bibliographiques

BLANCHET, A. et A. GOTMAN (1992). *L'enquête et ses méthodes : l'entretien*, Paris, Nathan (Nathan-Université).

GRAWITZ, M. (1986). *Méthodes des sciences sociales*, 7e éd., Paris, Dalloz.

MUCCHIELLI, R. (1984). *L'interview de groupe*, 3e éd., Paris, ESF.

PATTON, M.Q. (1990). *Qualitative Evaluation and Research Methods*, Newbury Park, CA, Sage Publications.

POUPART, J., M. LALONDE et M. JACCOUD (1997). *De l'École de Chicago au postmodernisme, trois quarts de siècle de travaux sur la méthodologie qualitative*, Cap-Rouge, Les Presses InterUniversitaires; Casablanca, Les Éditions 2 Continents.

Bibliographie générale

ABRIC, J.C. (1994). *Pratiques sociales et représentations*, Paris, PUF (Psychologie sociale).

AVRIL, F. (1964). « La notion de profondeur dans les entretiens de recherche », *Revue française de marketing*, vol. 13, p. 15-28.

BANAKA, W.H. (1971). *Training in the Depth Interviewing*, New York, Harper and Row, 196 p.

BARKER, P. (1990). *Clinical Interviews with Children and Adolescents*, New York, W.W. Norton & Co, xv, p. 164.

BERENT, P.H. (1966). « The Technique of the Depth Interview », *Journal of Advertising Research*, vol. 6, n° 2, p. 32-39.

BERTRAND, J.T., J.E. BROWN et V.M. WARD (1992). « Techniques for Analysing Focus Groups Data », *Evaluation Review*, vol. 16, n° 2, p. 228-245.

BIERMAN (1983), dans J.N. HUGHES et D.B. BAKER (1990). *The Clinical Child Interview*, New York, The Guilford Press, p. 230 (School Practitioner Series, n° 8).

BLANCHET, A. (1982-1983). « Épistémologie critique de l'entretien d'enquête de style non directif. Ses éventuelles distorsions dans le champ des sciences humaines », *Bulletin de psychologie*, n° 358, p. 187-195.

BLANCHET, A. (1982-1983b). « L'entretien à l'interface du psychologique et du social », *Bulletin de psychologie*, n° 360, p. 565-571.

BLANCHET, A. (1983). « L'implicite dans l'entretien d'enquête », Actes du colloque C.N.R.S. *Champ social et inconscient*, 16-17 juin, p. 142-148.

BLANCHET, A. (1985). *L'entretien dans les sciences sociales*, Paris, Bordas-Dunod.

BLANCHET, A. et A. GOTMAN (1992). *L'enquête et ses méthodes : l'entretien*, Paris, Nathan (Nathan-Université).

BOGDAN, Robert et Sari Knopp BIKLEN (1982). *Qualitative Research for Education : An Introduction to Theory and Methods*, Boston, Allyn and Bacon, 253 p.

BOGDAN, R. et S.J. TAYLOR (1975). *Introduction to Qualitative Research Methods : A Phenomenological Approach to the Social Sciences*, New York, Londres, Sydney, Toronto, John Wiley and Sons.

BOGGS, S.R. et S. EYBER (1990). « Interview Techniques and Establishing a Rapport », dans Annette M. LA GRECA, *Through the Eyes of the Child. Obtaining Self-Reports from Children and Adolescents*, Toronto, Allyn and Bacon, p. 85-108.

BOURDIEU, P. (1980). *Le sens pratique*, Paris, Éditions de Minuit.

BOUTIN, G. et P. DURNING (1994). *Les interventions auprès des parents. Bilan et analyse des pratiques socio-éducatives*, Toulouse, Privat.

BRENNER, Michael, Jennifer BROWN et David CANTER (dir.) (1985). *The Research Interview : Uses and Approaches*, London, New York, Academic Press.

BRENNER, M. (1981). « Skills in the Research Interview », dans M. ARGYLE (dir.), *Social Skills and Work*, London, Methuen, p. 28-58.

BRIGGS, Charles L. (1983). « Questions for Ethnographer : A Critical Examination of the Role of the Interview in Fieldwork », *Semiotica*, n° 46, p. 233-261.

CAMPBELL, D.T. (1955). « The Informant in Qualitative Research », *American Journal of Sociology*, vol. 60, n° 4, p. 75-92.

CANNEL, C.F. (1974). « L'interview comme méthode de collecte », dans Léon FESTINGER et Daniel KATZ (dir.), *Les méthodes de recherche dans les sciences sociales*, traduit d'après la première édition américaine (1953) par Honoré LESAGE, Paris, PUF, p. 385-437.

CANTER-KOHN, R. et P. NÈGRE (1991). *Les voies de l'observation. Repères pour les pratiques de recherche en sciences humaines*, Paris, Nathan (Nathan-Université).

CARRIER, S. et D. FORTIN (1994). « La valeur des informations recueillies par des entrevues structurées et questionnaires auprès des personnes ayant une déficience intellectuelle : une recension des écrits scientifiques », *Revue francophone de la déficience intellectuelle*, vol. 5, n° 1, p. 29-41.

CHAUCHAT, H. (1985). *L'enquête en psychologie*, (le psychologue), Paris, PUF, p. 253.

COMBS, A.W. et D. SNYGGS (1959). *Individual Behavior. A Perceptual Approach to Behavior*, New York, Harper & Row.

COOPER, Paul (1993). « Learning from Pupils' Perspectives », *British Journal of Special Education*, vol. 20, n° 4, p. 129-133.

DAUNAIS, Jean-Paul (1984). « L'entretien non directif », dans B. GAUTHIER (dir.), *Recherche sociale. De la problématique à la collecte des données*, Sainte-Foy, Presses de l'Université du Québec.

DELAMONT, S. (1983). *Interaction in the Classroom*, Contemporary Sociology of the School, New York, Methuen.

DE LANDSHEERE, G. (1982). *La recherche expérimentale en éducation*, Paris, Unesco, Lausanne, Delachaux et Nieslé.

DEXTER, L.A. (1956). « Role Relationships and Conception of Neutrality in Interviewing », *American Journal of Sociology*, n° 2, septembre, p. 153-158.

DUBOIS, Sylvie et Barbara HORVATH (1992). « Interviewer's Linguistic Production and Its Effect on Speaker's Descriptive Style », *Language Variation and Change*, vol. 4, Cambridge, Cambridge University Press, p. 125-135.

ELLIOT, N.S. (1986). « Children's Ratings of the Acceptability of Classroom Intervention for Misbehavior : Findings and Methodological Considerations », *Journal of School Psychology*, vol. 24, n° 1, p. 23-35.

ERICKSON, F. (1986). « Qualitative Methods in Research on Teaching », dans M.C. WITTROCK, *Handbook of Research on Teaching*, New York, Macmillan, p. 119-161.

ERICKSON, G.L. et A.M. MACKINNON (1991). « Seeing Classrooms in New Ways : On Becoming a Science Teacher », dans D.A. SCHÖN, *The Reflective Turn. Case Studies in and on Educational Practice*, New York, Teachers College Press, p. 15-36.

FESTERVAND-TROW, A. (1984). « An Introduction and Application of Focus Group Research to the Health Care Industry », Special Issue : Marketing Ambulatory Care Services, *Health Marketing Quarterly*, vol. 2, n°s 2-3 (hiver-printemps), p. 199-209.

FONTANA, A. et J.H. FREY (1994). « Interviewing : The Art of Science », dans N.K. DENZIN et Y.S. LINCOLN, *Handbook of Qualitative Research*, Thousand Oaks, Sage Publications, p. 361-376.

FOSTER, Lois et Mary NIXON (1975). « The Interview Reassessed », *The Alberta Journal of Education Research*, vol. 21, n° 1, p. 18-22.

FURLONG, V. (1990). « Interaction Sets in the Classroom : Towards a Study of Pupil Knowledge », dans M. STUBBS et S. DELAMONT, *Explorations in Classroom Observation*, Toronto, John Wiley & Sons, p. 23-44.

GLASER, B.G. et A.L. STRAUSS (1967). *The Discovery of Grounded Theory : Strategies for Qualitative Research*, New York, Aldine De Gruyter.

GORDEN, R.L. (1987). *Interviewing : Strategy, Techniques and Tactics*, Chicago, The Dorsey Press.

GRAWITZ, M. (1986). *Méthodes des sciences sociales*, 7e éd., Paris, Dalloz.

GREENBERG, J. et R. FOLGER (1988). *Controversial Issues in Social Research Methods*, New York, Springer.

GRELON, A. (1978). « Interviewer ? » *Langage et société*, nº 4, p. 41-62.

GRIFFIN, P. (1989). *Using Participant Research to Empower Gay and Lesbian Educators.* Paper presented at the American Educational Research Association Annual Conference, San Francisco, CA.

GUBA, E.G. et Y.S. LINCOLN (1981). *Effective Evaluation*, San Francisco, Jossey-Bass.

GUITTET, A. (1983). *L'entretien, techniques et pratiques*, Paris, Armand Colin.

HIRSCHHORN, L. (1991). « Organizing Feeling toward Authority : A Case Study of Reflection in Action », dans D.A. SCHÖN, *The Reflective Turn : Case Studies in and on Educational Practice*, New York, Teachers College Press, p. 111-125.

HUBERMAN, M. et M. MILES (1983). *L'analyse des données qualitatives : quelques techniques de réduction et de représentation*, Neuchâtel, I.D.R.P.

HUGHES, J.N. et D.B. BAKER (1990). *The Clinical Child Interview*, New York, London, The Guilford Press (School Practitioner Series).

KAHN, L.R. et C.F. CANNEL (1957). *The Dynamics of Interviewing*, New York, John Wiley & Sons.

KELLER, J.F. et G.A. HUGHSTON (1981). *Counseling the Elderly : A Systems Approach*, New York, Harper and Row.

KLEIN, E.L. (1987). « How Is a Teacher Different from a Mother ? Young Children's Perceptions of the Social Roles of Significant Adults », dans *Theory Into Practice*, vol. 27, nº 1, p. 36-43.

KNAPP, M.L. (1978). *Non-Verbal Communication in Human Interaction*, New York, Holt, Rinehart and Winston.

KRATHWOHL, D.R. (1993). *Methods of Educational and Social Science Research. An Integrated Approach*, New York, Longman.

KUHN, T.S. (1983). *La structure des révolutions scientifiques*, Paris, Flammarion (Champs).

KVALE, S. (1983). « The Qualitative Research Interview : A Phenomenological and Hermeneutical Mode of Understanding », *Journal of Phenomenological Psychology*, vol. 14, nº 2, p. 171-196.

KVALE, S. (1996). *Interviews. An Introduction to Qualitative Research Interviewing*, Thousands Oaks, CA, Sage Publications.

LA GRECA, A.M. (1990). *Through the Eyes of the Child. Obtaining Self-Reports from Children and Adolescents*, Toronto, Allyn and Bacon, xvii, p. 446.

LESSARD-HÉBERT, M., G. GOYETTE et G. BOUTIN (1996). *La recherche qualitative : fondements et pratiques*, 2e éd., Montréal, Éditions Nouvelles.

LINCOLN, Y.S. et E.G. GUBA (1985). *Naturalistic Inquiry*, Beverly Hills, CA, Sage Publications.

LOGAN, T. (1984). « Learning through Interviewing », dans J. SCHOSLAK et T. LOGAN, *Pupil Perspectives*, London, Croom Helm, p. 15-36.

MAÎTRE, J. (1975). « Sociologie de l'idéologie et entretien non directif », *Revue française de sociologie*, vol. 16, p. 248-256.

MAROY, C. (1995). « L'analyse qualitative d'entretiens », dans L. ARABELLO *et al.*, *Pratiques et méthodes de recherche en sciences sociales*, Paris, Armand Colin, p. 83-110.

MARSHALL, C. et G.B. ROSSMAN (1989). *Designing Qualitative Research*, Newbury Park, CA, Sage Publications.

MCCRACKEN, G.D. (1988). *The Long Interview in Qualitative Research*, Sage University Paper Series on Qualitative Research Methods, Beverly Hills, CA, Sage Publications.

MEAD, M. (1963). *Coming of Age in Samoa : Psychological Study of Primitive Youth*, Toronto, The New American Library of Canada Limited.

MERTON, R.K., M. FISKE et F.L. KENDALL (1990). *The Focused Interview : A Manual of Problems and Procedures*, New York, Free Press; London, Ont., Collier, Macmillan.

MILES, M.B. (1979). « Qualitative Data as an Attractive Nuisance : The Problem of Analysis », *Administrative Science Quarterly*, vol. 24, p. 590-603.

MILES, M. et M. HUBERMAN (1991). *Analyse des données qualitatives, recueil de nouvelles méthodes, Pédagogies en développement, Méthodologie de la recherche*, Bruxelles, De Boeck (titre initial *Qualitative Data Analysis : A Source-book of New Methods* (1984), Beverly Hills, CA, Sage Publications, traduit de l'américain par Catherine DE BACKER et Vivian LAMONGIE de l'association Erasme).

MISHLER, E.G. (1986). *Research Interviewing, Context and Narrative*, Cambridge, MA, Harvard University Press.

MOLLO, S. (1975). *Les muets parlent aux sourds. Les discours de l'enfant sur l'école*. Paris, Casterman (Orientations / E3 : enfance, éducation, enseignement).

MUCCHIELLI, A. (1991). *Les méthodes qualitatives*, Paris, PUF.

MUCCHIELLI, A. (1996). *Dictionnaire des méthodes qualitatives en sciences sociales*, Paris, Armand Colin.

MUCCHIELLI, R. (1970). *L'entretien de face à face dans la relation d'aide. Partie connaissance du problème*, Paris, Les éditions ESF.

MUCCHIELLI, R. (1971). *Le questionnaire dans l'enquête psychosociale. Partie connaissance du problème*, Paris, Les éditions ESF.

MUCCHIELLI, R. (1974). *L'interview de groupe. Partie connaissance du problème*, 3e éd., Paris, Les éditions ESF.

MYERS, G.E. et M.T. MYERS (1984). *Les bases de la communication interpersonnelle, une approche théorique et pratique*, Montréal, McGraw-Hill (traduction française de Pierre Racine).

OAKLEY, A. (1981). « Interviewing Women : A Contradiction in Terms », dans H. ROBERTS (dir.), *Doing Feminist Research*, Boston, Routledge and Kegan Paul, p. 30-61.

PATTON, M.Q. (1989). *Qualitative Evaluation Methods* (10th printing), Beverly Hills, CA, Sage Publications.

PAUZÉ, É. (1984). *Techniques d'entretien et d'entrevue*, Montréal, Modulo éditeur.

POSTIC, M. (1989). *L'imaginaire dans la relation psychologique*, Paris, PUF (Pédagogie d'aujourd'hui).

POUPART, J., M. LALONDE et M. JACCOUD (1997). *De l'École de Chicago au postmodernisme. Trois quarts de siècle de travaux sur la méthodologie qualitatitive*, Cap-Rouge, Les Presses InterUniversitaires; Casablanca, Les Éditions 2 Continents.

POURTOIS, J.P. et H. DESMET (1988). *Épistémologie et instrumentation en sciences humaines*, Bruxelles, Pierre Mardaga, éditeur (Psychologie et sciences humaines).

POWNEY, J. et M. WATTS (1987). *Interviewing in Educational Research*, London, Routledge and Kegan Paul.

ROGERS, C.R. (1945). « The Non Directive Method as a Technique for Social Research », *American Journal of Sociology*, vol. 50, n° 4, p. 279-283 (*La relation d'aide et la psychothérapie*, 2 tomes, 1942, tr. fr. Paris, Les éditions ESF, 1977).

SCHUTZ, A. (1967). *The Phenomenology of the Social World*, Evanston, IL, Northwestern University Press.

SEIDMAN, I.E. (1991). *Interviewing as Qualitative Research, A Guide for Researchers in Education and the Social Sciences*, New York, London, Teachers College Press.

SHILS, E.A. (1959). « Social Inquiry and the Autonomy of the Individual », dans D. LERNER (dir.), *The Human Meaning of the Social Science*, Cleveland, Meridian Books, p. 114-157.

SINGLY, F. (1982). « La gestion sociale des silences », *Consommation*, 4, octobre-décembre, p. 37-64.

SMITH, D.C., H.S. ALDERMAN, P. NELSON, L. TAYLOR et V. PHARES (1987). « Student's Perception of Control at School and Problem Behavior and Attitudes », *Journal of School Psychology*, vol. 25, n° 2, p. 167-176.

SPRADLEY, James P. (1979). *The Ethnographic Interview*, New York, Chicago, Holt, Rinehart and Winston.

STONE, W.L. et K.L. LEMANCK (1990). « Developmental Issues in Children's Self-Reports », dans A.M. LA GRECA, *Through the Eyes of the Child. Obtaining Self-Reports from Children and Adolescents*, Toronto, Allyn and Bacon, p. 18-56.

TAYLOR, L., H. ALDERMAN et N. KASER-BOYD (1984). « Perspectives of Children regarding Their Participation », dans *Psychoeducational Decisions, Professional Psychology : Research and Practice*, vol. 15, n° 4, p. 882-894.

TESCH, Renata (1988). *The Contribution of a Qualitative Method : Phenomenological Research*, Santa Barbara, Qualitative Research Management, 12 p. (inédit).

TRUMBULL, D.J. et S.M. JOHNSTON (1991). « Learning to Ask, Listen, and Analyze : Using Structured Interviewing Assignments to Develop Reflection in Preservice Science Teachers », *International Science Education* , vol. 13, n° 2, p. 143-158.

VERMERSCH, Pierre (1994). *L'entretien d'explicitation en formation initiale et en formation continue*, Paris, Les éditions ESF.

WATZLAWICK, P. (1980). *Le langage du changement*, Paris, Seuil (éd. orig. *The Language of Change*, New York, Basic Books, Inc., 1978).

WATZLAWICK, Paul et D.D. JACKSON (1972). *Une logique de la communication*, Paris, Seuil (éd. orig. *Pragmatics of Human Communication*, New York, Norton and Company, 1967).

WERTSCH, J.V. (1985). « La médiation sémiotique de la vie mentale : L.S. Vygotsky et M.M. Bakhtine », dans B. SCHNEUWLY et J.-P. BRONCKART, *Vygotsky aujourd'hui*, Paris, Delachaux et Niestlé, p. 139-168 (Textes de base en psychologie).

Annexe 1

Glossaire

Ce glossaire n'est pas destiné à remplacer les nombreux ouvrages spécialisés et dictionnaires qui définissent de façon plus approfondie ces divers concepts. Il ne vise qu'à faciliter au lecteur l'accès à un vocabulaire qui pourrait lui être moins familier.

analyse de contenu : méthode visant à faire ressortir et à décrire, de la façon la plus précise possible, les messages contenus dans une production d'origine verbale ou non verbale de façon qualitative ou quantitative. Elle peut prendre diverses formes. Selon Bardin (1977, p. 9), elle « est un ensemble d'instruments méthodologiques de plus en plus raffinés et en constante amélioration s'appliquant à des discours (contenus et contenants) extrêmement diversifiés ».

antiobjectivisme : mouvement philosophique qui remet en cause l'attitude qui consiste à s'en tenir à ce qui est mesurable et quantifiable, aux données contrôlables par les sens et à écarter la subjectivité (Bachelard, Merleau-Ponty et autres).

béhaviorisme ou comportementalisme : école de psychologie d'origine américaine qui met l'accent sur l'étude des comportements observables et nie, dans sa forme initiale, l'existence de la conscience : elle s'oppose à l'introspection. Cette approche s'est diversifiée avec le temps; on parle aujourd'hui de plusieurs types de béhaviorismes.

***brainstorming* (remue-méninges) :** technique de créativité souvent utilisée en groupe pour inventer et trouver des idées nouvelles au sujet d'une situation donnée. Elle peut contribuer à l'exploration des perceptions dans une démarche de recherche conduite auprès d'un groupe.

catégories analytiques : strates (sous-ensembles) constituées à partir d'unités issues de l'analyse de contenu de documents, retranscriptions d'entretiens, récits de vie, etc. Elles permettent une meilleure saisie des messages étudiés en les recadrant les uns par rapport aux autres.

codage : a) en communication, couplé à décodage, désigne l'opération par laquelle l'interlocuteur transforme le message qu'il reçoit afin de mieux le saisir; b) en recherche, opération qui consiste à donner à chaque catégorie de réponses un numéro de code. Ce terme désigne également l'opération par laquelle on transforme des données brutes en une forme destinée à faciliter leur traitement ou leur analyse. Il est possible de procéder de façon ouverte (sans catégories préétablies), fermée (à partir de catégories établies à l'avance) et enfin de façon mixte (dans ce cas, certaines catégories sont établies à l'avance, d'autres induites en cours d'analyse ou créées pour remplacer des catégories qui se révèlent moins pertinentes).

confirmation externe : résulte de l'acceptabilité des résultats par des spécialistes et experts de la question qui n'ont pas mené l'étude, mais qui reconnaissent la plausibilité des résultats à partir de leurs connaissances implicites des problèmes en question.

cohérence interne : expression de la logique interne propre au phénomène décrit.

condensation des données : opération par laquelle le chercheur réduit les données recueillies à partir de critères établis *a priori*. Elle permet de mettre l'accent sur les données les plus pertinentes en délaissant celles qui se rapprochent moins de la thématique abordée. Ce concept, selon Huberman (1991), « renvoie à l'ensemble des processus de sélection, centration, simplification, abstraction des données brutes… »

cybernétique : décrite par Couffignal (1958) comme étant « l'art d'assurer l'efficacité de l'action ». Wiener avait proposé ce terme dès 1948 pour désigner l'ensemble des théories relatives aux communications et à la régulation dans l'être vivant et la machine.

***debriefing* (angl.) :** désigne la phase de l'entretien au cours de laquelle l'intervieweur permet à l'interviewé de faire le point avec lui sur la façon dont s'est déroulée la rencontre, en tenant compte des aspects difficiles. Cette étape permet à l'interviewé de partager avec l'intervieweur l'expérience qu'il vient de vivre.

dialectique : art de discuter par questions et réponses; désigne également une action en vue de démontrer, réfuter, emporter la conviction.

échantillon, échantillonnage : en quantitatif, nombre d'individs choisis à partir de critères préétablis pour représenter la population globale. Cette opération, appelée « échantillonnage », suppose le recours à des procédés de sélection parfois très compliqués dans le but de s'assurer que les inférences effectuées à partir de l'échantillon sont valables. En qualitatif, le nombre des personnes interrogées est restreint et ne constitue pas un échantillon représentatif au sens statistique du terme : ce sont plutôt des critères de diversification qui prévalent dans l'établissement de l'échantillon, l'accent étant mis sur l'exemplarité des sujets retenus.

écosystème : de « écologie » et de « système ». Ce concept a été élaboré entre autres par Bronfenbrenner. Il désigne selon cet auteur « un ensemble composé de plusieurs systèmes (ou communautés) et de leur environnement qui évoluent ensemble et interagissent à la recherche d'un équilibre sans cesse remis en question. »

écoute active : consiste pour le récepteur à entendre les propos du locuteur et à lui montrer par divers moyens qu'il reçoit, entend et comprend ce que ce dernier exprime, sans porter de jugement.

émetteur : organisme, homme ou machine, qui produit un message en direction d'un récepteur.

épistémologie : étude critique des sciences, destinée à déterminer leur origine logique, leur valeur et leur portée. Il s'agit, selon Piaget, d'une « étude critique et expérimentale de la naissance et de l'évolution des connaissances menée entre autres par le biais de la psychologie génétique ».

époque ou réduction phénoménologique : terme suggéré par Husserl pour désigner une « mise entre parenthèses » de sa spontanéité naturelle, de ses préjugés, afin de mieux saisir le sens d'un phénomène, d'une attitude, d'un comportement.

étiquetage : terme désignant l'action par laquelle le chercheur donne un nom aux catégories qu'il a établies à la suite de son analyse de contenu. Cette action fait partie du processus de classement des énoncés pratiqué en qualitatif.

expérientiel: fait appel à l'expérience personnelle et marque la relation de la personne avec son monde tant intérieur qu'extérieur; souvent opposé à **expérimental**, qui désigne une démarche de type scientifique contrôlée de l'extérieur.

fidélité: constance des résultats obtenus à la suite de la passation d'un test. Ce terme désigne la tendance d'un test ou d'un instrument à donner les mêmes résultats lorsqu'on mesure deux fois une entité ou un attribut qui ne devrait pas avoir changé au cours de l'intervalle entre les deux opérations de mesure (voir **validité**).

holistique (approche): approche qui se préoccupe de prendre en considération la totalité d'une situation. Elle s'inspire notamment de la gestalt ou psychologie de la forme.

informants (voir répondants): à la différence des répondants, les informants donnent des renseignements spontanés sur certains événements ou caractéristiques d'un milieu donné. Ces deux termes sont souvent employés l'un pour l'autre.

invariants: relation ou propriété qui se conserve dans une transformation physique ou mathématique.

investigation: démarche qui vise à faire ressortir les caractéristiques d'une situation donnée, les attitudes ou les habitudes de vie d'une population donnée.

monde expérientiel: cette expression empruntée à la phénoménologie fait allusion au monde tel que perçu, vécu, « expérimenté » par le sujet.

phénoménologie: approche philosophique mise de l'avant par Husserl (1859-1938) et selon laquelle il est possible, en décrivant les choses elles-mêmes, de découvrir les structures transcendantes de la conscience ainsi que les essences des êtres. « C'est une façon de penser la réalité existentielle par un retour aux choses elles-mêmes », selon Lyotard (1964). En recherche qualitative, plusieurs chercheurs font appel à ce courant philosophique pour étayer le point de vue selon lequel les cas individuels possèdent une signification qui leur est propre, qu'il soit possible ou non de les comparer à d'autres cas.

population: partie déterminée d'un univers matériel ou humain parmi laquelle on précise un échantillon.

positivisme : théorie élaborée par A. Comte (1798-1857) qui rejette toute inférence et s'en tient à l'observation des faits et aux rapports qui existent entre eux. Selon cette approche, tous les phénomènes en sciences sociales seraient mesurables et quantifiables.

psychologie humaniste : courant psychologique inspiré notamment des travaux de Maslow et Rogers, qui met l'accent sur les forces positives dans l'homme et préconise des méthodes d'intervention favorisant le développement de la personne. Selon cette approche, l'homme possède une tendance à l'actualisation de soi qui devrait le conduire à son plein épanouissement pourvu que le milieu dans lequel il vit soit favorable à cet épanouissement.

récepteur : organisme, homme ou machine, à qui est destiné un message.

relation asymétrique (dissymétrique) : absence de symétrie entre l'intervieweur et l'interviewé, en ce sens que l'un et l'autre n'arrivent pas (ou arrivent difficilement, de façon dissymétrique) à communiquer selon un mode convenable.

répondants : désigne les personnes qui acceptent de collaborer à une recherche dans le contexte de l'approche ethnographique ou qualitative.

représentativité : désigne en qualitatif la façon dont les sujets choisis pour une investigation donnée reflètent les caractéristiques de leur groupe d'appartenance.

rétroaction ou feed-back : procédé de communication qui désigne l'ensemble des informations émises en direction d'une personne concernant ses attitudes et ses actions. S'applique à toute forme de renseignement, signal ou réponse, qui, partant du récepteur, est envoyé vers l'émetteur afin de développer la compréhension entre l'émetteur et le récepteur. A également pour fonction d'informer l'émetteur de la qualité et de l'effet de son message.

saturation : en qualitatif, on parle de saturation lorsque les techniques de collecte et d'analyse de données utilisées, concernant un problème donné, ne fournissent plus aucun élément nouveau à la recherche.

standardisé : quand ce qualificatif est appliqué à l'entretien de recherche, il indique que les questions et les choix de réponses sont fixés à l'avance.

systémique: se rapporte à un système (ensemble d'éléments, matériels ou non, qui dépendent réciproquement les uns des autres, de manière à former un tout organisé). C'est également la science qui étudie les systèmes et leurs relations (école de Palo Alto: Watzlawick, Bateson, etc.).

typologie: élaboration de types, de catégories, facilitant la compréhension d'une réalité complexe et leur classification.

validité: en quantitatif, capacité que possède un instrument de mesure de prédire effectivement ce qu'il se proposait de prédire; cette capacité s'exprime le plus souvent par une corrélation entre les scores donnés par l'instrument et les mesures de rendement d'après un certain critère. En qualitatif, pour ce qui est notamment de l'analyse de contenu, « la validité relève surtout de la pertinence des catégories et des unités choisies, par rapport tant au document qu'aux objectifs de la recherche dans laquelle s'inscrit une analyse documentaire donnée » (Mayer et Ouellet, 1991).

Annexe 2

Indications générales pour l'élaboration d'un guide d'entretien

Tout guide d'entretien possède ses particularités. Ainsi, la démarche que nous suggérons ici n'a d'autre intention que de donner quelques pistes de travail.

Titre de la recherche

Renseignements généraux

Date de l'entretien: ....

Lieu: ....

Nom de l'intervieweur: ....

Nom de l'interviewé ou code: ....

1. Préparatifs

a) Réviser les buts fixés pour l'entretien et se renseigner sur le sujet à l'étude.

b) Établir l'horaire de façon précise et déterminer le lieu de la rencontre.

c) Choisir un matériel technique adapté et en vérifier le fonctionnement.

d) Préparer une *fiche d'entretien* en tenant compte des particularités de la situation donnée. Selon le niveau de structuration de l'entretien, cette fiche peut contenir des thèmes et des sous-thèmes destinés à couvrir un ou plusieurs aspects de l'expérience de l'interviewé. Il est conseillé de prévoir des espaces libres sur cette fiche afin de pouvoir noter des éléments marquants en cours d'entretien.

e) Se procurer ou élaborer un formulaire de consentement à destination de l'interviewé.

f) Se préparer sur le plan personnel : mettre de côté les préoccupations qui pourraient nuire à la qualité de l'entretien.

2. Accueil, présentation de la recherche et demande de consentement

a) Prendre le temps de bien accueillir l'interviewé et de développer une alliance avec lui.

b) Donner un ton agréable à la relation et présenter la démarche de l'entretien dans les grandes lignes : titre et résumé sommaire de la recherche, rappel des règles d'éthique et des modalités de fonctionnement de la rencontre.

c) Accepter que l'interviewé exprime ses sentiments à l'égard de la situation souvent nouvelle qu'il est en train de vivre.

d) Vérifier si l'interviewé a saisi les visées de la démarche qui sera suivie.

e) Lire à l'interviewé la formule de consentement (si celui-ci n'a pas été obtenu au préalable) et lui demander de signer s'il est d'accord. Il convient de rappeler ici que l'intervieweur ne doit exercer aucune pression sur l'interviewé : ce serait enfreindre les règles déontologiques les plus élémentaires.

3. Déroulement de l'entretien

- Procéder à l'entretien, soit à partir d'une question, soit à partir d'une mise en situation : il va de soi que ce point de départ doit être bien préparé, car il a souvent un effet sur la suite de la rencontre.
- Dans un entretien de type qualitatif, il arrive souvent que l'intervieweur pose une question ouverte.
- Vérifier la compréhension de cette question et de celles qui suivent, en se préoccupant de savoir comment l'interviewé reçoit la question : la comprend-il ? est-il à l'aise pour y répondre ? etc.

- Porter attention à la séquence des questions (thèmes) : si l'intervieweur a prévu d'aborder plusieurs thèmes, il importe que ces thèmes soient couverts en aménageant des transitions afin de ne pas provoquer de confusion chez l'interviewé.
- Encourager l'expression des sentiments, des émotions et des idées (voir modalités de communication).
- Être attentif tant à ses comportements verbaux et non verbaux qu'à ceux de la personne interviewée. Il est recommandé à l'intervieweur d'adopter une attitude naturelle et d'utiliser un langage adapté au niveau culturel de son interlocuteur, sans tomber dans l'exagération.

4. Conclusion

a) S'assurer que les thèmes abordés ont été couverts de façon convenable.

b) Vérifier le niveau de compréhension des éléments de communication : on recommande souvent de faire une synthèse avec la personne interviewée afin de s'assurer que le message a été bien compris de part et d'autre.

c) Veiller à conclure l'entretien de façon correcte en remerciant l'interviewé et en prenant soin de le rassurer, au besoin, sur la confidentialité des propos tenus au cours de l'entretien.

5. Après l'entretien

- Procéder à un bref compte rendu de l'entretien.
- Indiquer dans quelles circonstances s'est déroulé l'entretien, sa durée, les commentaires des interviewés sur le ou les sujets abordés, etc.
- Noter ses propres attitudes, résistances, etc., à l'égard de la situation investiguée.
- Relever les informations non prévues mais qui pourraient être utiles à une meilleurs saisie des propos de l'interviewé.
- Dégager des pistes de réflexion à l'intention de l'analyste quand le type de questionnement s'y prête : autres aspects à approfondir, réponses laissées en suspens, etc.

AGMV
MARQUIS
Québec, Canada
1997